LES 200 MEILLEURES RECETTES DE
SALADES

~

LES 200 MEILLEURES RECETTES DE
SALADES

~

Conseiller éditorial :
STEVEN WHEELER

Traduit de l'anglais par ISABELLE LEYMARIE

Sélection
Champagne
inc.

Édition originale 1999 au Royaume-Uni par Lorenz Books
sous le titre *Best-Ever Salads*

© 1999, Anness Publishing Limited
© 2000, Manise, une marque des Éditions Minerva (Genève, Suisse)
pour la version française

Responsable éditoriale : Joanna Lorenz
Éditrice : Joanne Rippin
Maquettiste : Bill Mason
Illustrations : Anna Koska
Relecture : Richard McGinlay
Responsable de la fabrication : Ann Childers

Traduit de l'anglais par Isabelle Leymarie

**Distribué par
Sélection Champagne Inc.
Montréal, Québec
(514) 595-3279**

ISBN 2-84198-148-7

Dépôt légal : mars 2000

Imprimé en Chine

NOTES

Pour toutes les recettes les quantités sont indiquées en mesures métriques et impériales et, dans les cas
convenables, en tasses et cuillères standard. Suivez une version, mais pas une combinaison, car elles ne
sont pas interchangeable.
1 cuil. à thé = 5 ml, 1 cuil. à soupe = 15 ml, 1 tasse = 250 ml/8 oz

Sauf indication contraire, employez des oeufs de taille moyenne.

Sommaire

~

INTRODUCTION

Introduction

Une salade bien préparée, avec son mélange de saveurs, de textures
et de tons vifs, est un véritable régal. Cet ouvrage présente une variété
considérable de salades et montre qu'elles peuvent être beaucoup
plus inventives que ce que l'on imagine généralement.

~

Les différentes saisons constituent un guide utile, surtout si l'on est en quête
d'inspiration. Pour réussir une salade, il convient de commencer par un ou
deux ingrédients susceptibles d'attirer l'attention. Mariez par exemple une poire
fondante à quelques noix de pécan grillées ou de jeunes pousses d'épinards
à une sauce au roquefort. Le crabe, lui, s'allie parfaitement à l'avocat,
aux feuilles de coriandre et au citron vert. Quelques pommes de terre nouvelles
et de jeunes feuilles de laitue suffisent à créer une inoubliable salade.

~

La plupart des salades, fraîches et colorées, sont particulièrement agréables l'été,
lorsqu'on mange dehors. En automne et en hiver, on appréciera de préférence
des plats chauds et des saveurs corsées : champignons sauvages, blancs de canard,
foies de poulet, ingrédients qui se marient bien avec la feuille de chêne,
la scarole et la chicorée. Le printemps est la saison des légumes nouveaux comme
le maïs doux et les tendres pousses : épinards, roquette, etc., qui s'accordent
parfaitement avec le poisson grillé, les œufs, le jambon et le poulet.
La simplicité est le maître mot : lorsque l'on combine des ingrédients,
ils doivent être compatibles tout en conservant leur saveur initiale.

~

Ce livre propose les salades les plus diverses, à consommer en entrée,
en plat principal ou en simple garniture, ainsi que des desserts
rafraîchissants et raffinés. Vous y trouverez des salades cuites et crues
faisant appel à une gamme étendue de produits délicieux :
légumes, pâtes, riz, poissons, viandes rouges, volailles et fruits.

Les légumes en salade

N'importe quel légume frais et appétissant convient pour une salade. Les produits entrant dans la composition d'une salade peuvent être crus ou légèrement cuits. S'ils sont cuits, il est préférable de les servir à température ambiante afin d'en savourer pleinement le goût. Voici une liste des légumes les plus couramment utilisés.

L'ail

L'ail, au goût marqué, est un ingrédient essentiel des cuisines latino-américaines, asiatiques et méditerranéennes. Il convient de l'utiliser avec modération car il peut masquer les autres saveurs ; cependant, il est indispensable dans certaines recettes. Si vous souhaitez parfumer subtilement une salade, frottez l'intérieur du saladier avec une gousse entamée ou mettez quelques gousses pilées dans une bouteille d'huile d'olive et employez un peu de cette huile dans les assaisonnements.

L'avocat

Mûr, l'avocat possède une chair lisse et onctueuse. Il est utilisé dans de nombreuses préparations, la plus connue étant le guacamole. Vous pouvez aussi le servir seul, en entrée, avec une vinaigrette légère, 1 cuillerée à thé de mayonnaise au citron ou juste avec un peu de jus de citron et du sel.

La carotte

Pour être dégustée en salade, la carotte doit être jeune, tendre et légèrement sucrée. Cuite ou crue, elle apportera saveur et couleur à toutes vos salades.

Le céleri

Ce légume disponible toute l'année a un goût très prononcé. La tige, qui est croquante, ne doit être ni filandreuse ni dure. Le céleri se marie bien avec le jambon cuit, les pommes et les noix dans la salade Waldorf. Vous pouvez aussi le servir cru en entrée.

Le champignon

Consommé cru ou cuit, il ajoute du parfum à de nombreuses salades. La chanterelle, cultivée ou à l'état sauvage, a une texture et une saveur très fines. Le champignon de Paris, qu'il est facile de se procurer, est souvent utilisé cru, coupé en fines tranches, dans une salade mixte. La girolle ressemble au champignon de Paris avec un peu plus de goût.

Le concombre

Avec sa légère acidité, c'est l'un des légumes les plus fréquemment utilisés dans les salades.

La courgette

La courgette peut avoir un goût légèrement amer et on la fait généralement cuire avant de la mélanger à d'autres légumes. D'aspect lisse lorsqu'elle est cuite, elle se marie bien avec les tomates, les poivrons, les aubergines et les oignons. Si vous la servez crue en entrée, choisissez une courgette naine, au goût plus subtil.

Le fenouil

Cette variété à bulbe a une saveur anisée prononcée et ressemble à une tête de céleri. Sa saveur pouvant être un peu forte, vous pouvez faire bouillir le fenouil 6 minutes avant de l'incorporer à une salade.

Le haricot vert

Il en existe trop de variétés pour pouvoir toutes les mentionner. Cependant, chacune a sa place dans les salades. Pour exalter la saveur délicate des haricots verts nouveaux, particulièrement tendres, faites-les cuire 6 minutes dans de l'eau bouillante salée. Passez-les immédiatement sous l'eau froide, de façon à ce qu'ils restent croquants et gardent leur couleur. Essentiels dans la salade niçoise, ils constituent une crudité idéale et peuvent être relevés avec une sauce tomate épicée.

L'épi de maïs nain

Les épis de maïs nains peuvent être consommés entiers, légèrement cuits ou crus, et servis tièdes ou à température ambiante.

L'oignon

Plusieurs variétés conviennent pour les salades. Le plus fort est le petit oignon brun, qu'il convient de hacher finement et d'utiliser avec modération. L'oignon espagnol, blanc et plus gros, est plus doux, et vous pouvez l'employer grossièrement émincé.

L'oignon nouveau

Plus subtil que l'oignon ordinaire, il peut apporter du piquant à plusieurs types de salades.

La pomme de terre

Riche en fécule, cet ingrédient de base donne de la consistance à une salade. Il en constitue bien souvent l'élément principal.

La tomate

Considérée comme un fruit et non un légume, la tomate est appréciée pour sa saveur et sa couleur. Les variétés naines mûrissent généralement plus rapidement et ont un meilleur goût.

Les fruits en salade

Les fruits offrent des possibilités infinies, ajoutant une touche sucrée et un parfum particulier aux salades.

L'abricot
Vous pouvez l'utiliser cru, sec ou légèrement poché.

L'airelle
Trop acide pour se consommer crue, elle est excellente une fois cuite.

L'ananas
L'ananas mûr résiste à une pression des doigts et a une odeur sucrée.

La banane
La banane confère un moelleux particulier aux salades de fruits, mais risque cependant de masquer le goût de fruits plus subtils.

La carambole
Coupée en tranches, elle constitue, avec sa forme en étoile, un élément parfait de décoration.

La cerise
Elle doit être ferme et brillante. Ce fruit particulièrement délicieux ajoute une belle note de couleur à de nombreuses salades de fruits.

Le citron et le citron vert
Ces deux agrumes indispensables sont utilisés pour leur goût et pour empêcher les fruits de s'oxyder.

La datte
La datte fraîche est sucrée et juteuse; la datte sèche a un goût plus marqué. Les deux variétés conviennent toutefois parfaitement aux salades de fruits fraîches.

La figue
Fruit à la peau verte ou violette et à la chair rose ou rouge et sucrée, la figue se consomme entière ou pelée.

La fraise
Ce fruit d'été apprécié est souvent servi avec de la crème fraîche.

La framboise
Elle se marie particulièrement bien avec les mangues mûres, les fruits de la passion et les fraises.

La groseille à maquereau
Cette baie verte est légèrement acidulée. Celle utilisée en dessert peut se manger crue, mais les variétés à cuire sont plus courantes.

Le kiwi
Il est disponible toute l'année.

Le kumquat
Ce petit fruit cousin de l'orange peut être consommé cru ou cuit.

Le lychee
Ce petit fruit à l'écorce rouge foncé a une chair sucrée et juteuse.

La mangue
Ce fruit tropical au goût délicat et à la chair dorée ou orange apporte une note exotique aux salades sucrées ou salées.

Le melon
Disponible du milieu jusqu'à la fin de l'été, il est délicieux servi glacé et donne du parfum aux salades.

La mûre
La mûre sauvage a meilleur goût que celle qui est cultivée. La saison des mûres est courte.

La myrtille
Cette baie à la peau fine se marie bien aux oranges, plus toniques.

La nectarine et le brugnon
Ces fruits proches de la pêche présentent une peau lisse.

L'orange
La meilleure saison pour l'orange est l'hiver. Vous pouvez la couper en quartiers et l'ajouter aux salades sucrées et salées.

Le pamplemousse
Le pamplemousse peut avoir une chair jaune, verte ou rose. Les variétés à la chair rose ou rouge foncé sont les plus sucrées.

La papaye
Ce fruit tropical a un goût particulier et sucré. Quand elle est mûre, elle est jaune-vert.

La pêche
Choisissez la pêche blanche pour son goût sucré et la pêche jaune pour une saveur plus aromatique.

La poire
La poire convient bien aux salades salées, notamment avec du bleu et des noix de pécan grillées.

La pomme
La pomme peut être accommodée de cent façons différentes et confère une saveur unique aux salades tant sucrées que salées.

La prune
Il en existe de nombreuses variétés, à consommer en dessert et pour accompagner divers plats cuisinés.

Le raisin
Les différentes espèces de raisins muscats à grains moyens et gros, dont la saison s'étend de la fin de l'été à l'automne, sont les plus convoitées mais aussi les plus chères.

La rhubarbe
Considérée comme un légume et non comme un fruit, elle est trop acide pour se consommer crue.

Les laitues et autres légumes à feuilles

Par rapport aux autres légumes, la particularité de la laitue est qu'elle s'achète exclusivement fraîche.

La laitue est cultivée depuis des milliers d'années. Dans l'Égypte ancienne, c'était le légume consacré de Min, le dieu de la fertilité. Elle était alors considérée comme un puissant aphrodisiaque. En revanche, pour les Grecs et les Romains, elle était censée avoir l'effet inverse, c'est-à-dire celui d'être soporifique et calmante. De nos jours, les chimistes confirment que la laitue contient un hypnotique semblable à l'opium, et elle est recommandée aux insomniaques en phytothérapie.

Il existe aujourd'hui des dizaines de variétés de laitues dans le commerce; en associant des feuilles de diverses sortes, votre saladier peut être une véritable symphonie de couleurs, de textures et de goûts.

La laitue classique

La laitue a un cœur pâle et tendre et des feuilles souples, au goût agréable lorsqu'elles sont fraîches. Vérifiez que celle que vous choisissez a un cœur bien ferme en la prenant par le pied et en la pressant doucement en son centre.

Le lollo rossa et le lollo bionda

Le lollo rossa et le lollo bionda (de forme similaire mais vert pâle et sans bords violacés) sont dépourvus de cœur. Bien que ces laitues, sortes de petites frisées, n'aient pas un goût très prononcé, elles sont superbes et leurs feuilles souvent utilisées comme lit sur lequel disposer le contenu d'une salade.

La romaine

La romaine serait connue depuis l'Antiquité. Dans les pays anglophones, on l'appelle aussi cos, du nom de l'île grecque où elle fut découverte. Elle est délicieuse et c'est la meilleure variété pour réaliser la salade César.

La scarole

La scarole est l'une des laitues les plus robustes, à la saveur la plus corsée. Comme la frisée, elle a un goût amer particulier. Servies avec d'autres variétés de laitues et un excellent assaisonnement, la scarole et la frisée apporteront une note relevée à votre salade.

La feuille de chêne

Avec le lollo rossa et le lollo bionda, la feuille de chêne fait partie du groupe des laitues à feuilles molles. Elle a un goût subtil et ses feuilles sont très décoratives : elles embellissent une salade ou peuvent constituer une ravissante garniture.

La kriset

La kriset est à mi-chemin entre une petite romaine et une laitue frisée. Son cœur est ferme, avec un goût particulier. Le centre étant serré, vous pouvez le couper en tranches sur lesquelles vous disposez de fins morceaux de poisson fumé ou d'anchois. Servez ces « toasts » en amuse-gueules.

Le chou chinois

Ce chou est pâle et croquant, doté de feuilles frisées et de longues et larges nervures blanches. Il ressemble à une très grosse tête de céleri. Étant disponible toute l'année, vous pouvez le consommer en hiver lorsque le choix de légumes à feuilles est plus restreint.

La chicorée de Trévise

C'est une variété répandue de chicorée sauvage poussant généralement à l'ombre. Elle ressemble à la laitue mais avec de splendides feuilles rouge sombre aux nervures blanches. Si elle est cultivée avec peu de lumière, ses feuilles sont roses avec des marbrures. Son goût amer tranche sur celui des laitues vertes.

La mâche

En réalité, la mâche n'appartient pas à la famille des laitues, mais elle entre souvent dans la composition des salades hivernales. Avec ses jolies petites feuilles vertes et son léger goût de noix, elle pousse en forme de bouquets.

Le cresson

De toutes les variétés de légumes à feuilles, le cresson est peut-être celui qui a le goût le plus prononcé, et il suffit d'une poignée de cresson pour réveiller une salade un peu terne. Il a une saveur particulière, poivrée et légèrement acide et, avec ses feuilles brillantes, il constitue une garniture classique.

La roquette

La roquette a un merveilleux goût poivré et est excellente dans une salade verte composée. Les Grecs et les Romains l'utilisaient comme aphrodisiaque. En raison de sa saveur marquée, quelques feuilles à peine suffisent pour donner vie à une salade verte ou à un sandwich.

Les herbes aromatiques

De tout temps, les herbes aromatiques ont joué un rôle important dans les salades. Comme tous les produits frais, elles possèdent des qualités nutritives et gustatives, ainsi que de nombreuses vertus médicinales. Les herbes sèches, qui ne remplacent pas les herbes fraîches, doivent être réservées pour les plats cuisinés, mijotés surtout. Les herbes qui conviennent aux salades sont celles qui leur donnent du goût sans toutefois masquer la saveur des autres ingrédients.

La plupart des herbes aromatiques, finement hachées, sont destinées aux assaisonnements et aux marinades. Le romarin, le thym et le fenouil confèrent un goût fumé à la viande ou au poisson grillés. L'idéal serait de cueillir les herbes juste avant de les utiliser mais si cela s'avère impossible, mettez-les dans l'eau afin qu'elles restent fraîches. Le persil, la menthe et la coriandre se conservent ainsi une semaine au réfrigérateur dans un sac en plastique.

Le basilic

Avec son goût frais et corsé, différent de celui des autres herbes, le basilic est couramment utilisé dans les salades méditerranéennes, italiennes principalement. Les feuilles sont tendres et délicates. Plutôt que de les hacher avec un couteau, il est préférable de les détacher délicatement ou de les couper à l'aide de ciseaux.

La ciboulette

Membre de la famille de l'oignon, son goût est très délicat. La tige, mince et verte, et la fleur, tendre et violette, sont toutes deux comestibles. La ciboulette est indispensable dans les salades de pommes de terre qu'elle parfume agréablement.

La coriandre

Les feuilles de cette herbe au goût relevé sont très prisées dans la cuisine du Moyen-Orient et en Asie. Consommez-les hachées.

La lavande

Cette plante, calmante et parfumée, est comestible. Elle peut s'utiliser dans les salades sucrées et salées, et se marie bien avec le thym, l'ail, le miel et l'orange.

La menthe

Très populaire, elle est couramment utilisée en Grèce et au Moyen-Orient dans des salades telles que le tzatziki et le taboulé. On l'ajoute aussi volontiers aux salades de fruits. La menthe de jardin est la plus commune. On trouve aussi d'autres variétés comme la menthe à feuilles rondes.

Dans le sens des aiguilles d'une montre, en partant du haut à gauche : thym, coriandre, persil, ciboulette, lavande, rose, menthe et basilic.

Le persil

Le persil plat et le persil frisé apportent tous deux arôme et fraîcheur. Le persil plat est censé avoir plus de goût. Le persil fraîchement haché est utilisé dans les salades et les assaisonnements.

La rose

Bien qu'il s'agisse d'une fleur, la rose, avec son merveilleux parfum, peut accompagner des salades de fruits frais. Elle se marie bien aux mûres et aux framboises.

Le thym

Avec son parfum pénétrant, il agrémente les salades riches et goûteuses.

Les épices

Les épices proviennent de la graine, de l'écorce, du fruit et parfois de la fleur de certaines plantes et arbres. Très appréciées pour leur parfum capiteux, elles sont relativement économiques. Leur arôme se dégage des huiles volatiles de la graine, de l'écorce ou du fruit, et comme pour les herbes, les épices doivent être utilisées aussi fraîches que possible. Les épices entières se conservent mieux que les épices moulues, qui tendent à s'éventer au bout de trois ou quatre mois.

Toutes les épices ne conviennent pas pour les salades, bien qu'un grand nombre d'entre elles ajoutent une note exotique. Nous vous conseillons ici d'utiliser le curry avec modération afin de ne pas masquer les saveurs délicates des salades.

Le carvi

Ces graines, au goût sucré, sont très utilisées dans les plats d'Europe centrale et de l'Est. Avec leurs petites nervures, elles ressemblent, par l'aspect et le goût, au cumin. Elles se marient particulièrement bien avec la moutarde allemande dans les assaisonnements pour la salade de Francfort.

Les graines de cumin

Souvent associé aux cuisines asiatique et maghrébine, le cumin est disponible en poudre ou sous forme de petites graines minces. Il s'associe bien avec les graines de coriandre.

La pâte de curry

La pâte de curry, qui s'achète toute prête, consiste en un mélange d'épices et d'herbes fraîches conservées dans de l'huile. Vous pouvez l'ajouter aux assaisonnements et elle met notamment le poisson et les crustacés en valeur.

Le paprika

Le paprika provient d'une variété de piment rouge et doux. Son goût est peu prononcé et il ajoute surtout de la couleur.

Le poivre

Le poivre, sans conteste l'épice la plus populaire en Occident, est utilisé dans toutes les cuisines. Ses graines peuvent être blanches, noires, vertes ou rouges. Le poivre fraîchement moulu est bien supérieur au poivre en poudre, prêt à l'emploi.

Le poivre de Cayenne

Il s'agit du fruit sec et finement moulu du piment. C'est un ingrédient important de la cuisine sud-américaine et on l'utilise souvent pour relever le poisson et les fruits de mer. Le poivre de Cayenne peut être mélangé avec du paprika s'il est trop fort, et il convient de l'utiliser parcimonieusement.

Dans le sens des aiguilles d'une montre, en partant du haut à gauche : sel au céleri, graines de carvi, pâte de curry, graines de safran, grains de poivre et poivre de Cayenne.

Le safran

Épice la plus chère au monde, le safran provient du stigmate séché du crocus. Le véritable safran a une riche odeur de tabac et il donne une belle couleur jaune aux liquides de cuisson. Vous pouvez l'utiliser dans des sauces à base de crème fraîche, et il relève les plats de poisson et de fruits de mer. Plusieurs imitations en poudre ajoutent de la couleur mais ne possèdent pas la saveur du vrai safran.

Le sel au céleri

On utilise cette combinaison de graines de céleri moulues et de sel pour assaisonner les légumes, les carottes notamment.

Les huiles, vinaigres et autres condiments

LES HUILES

L'huile est le principal ingrédient de la plupart des assaisonnements et elle donne un arôme incomparable aux salades. L'idéal serait d'utiliser les huiles neutres telles que celles de tournesol, de carthame ou d'arachide comme bases pour des huiles plus fortes. Les huiles de sésame, de noix et de noisettes sont celles qui ont le goût le plus prononcé et il convient de les employer avec modération. L'huile d'olive est appréciée pour sa légèreté et son onctuosité. Les plus importants producteurs d'huile d'olive sont l'Italie, la France, l'Espagne et la Grèce. Ces pays, entre autres, produisent deux principales qualités d'huile d'olive : l'huile extra-vierge de propriété et l'huile semi-fine, qui constitue un bon ingrédient de base.

L'huile d'olive
Les huiles françaises ont un parfum subtil. Elles apportent légèreté et équilibre aux assaisonnements.

Les huiles grecques sont généralement très corsées. Souvent vertes et épaisses, elles ne conviennent pas aux mayonnaises.

Les huiles italiennes sont connues pour leurs saveurs méditerranéennes prononcées. Celles de Toscane ont un goût rond et épicé, celles de Sicile tendent à être plus légères, bien qu'elles aient un goût plus fort.

Les huiles espagnoles ont une saveur fruitée caractéristique, avec souvent un goût de noix et une légère amertume.

Les huiles de noisettes et de noix
Les huiles de noisettes et de noix sont appréciées pour leur goût corsé. Conservant fortement l'arôme des noix dont elles proviennent, elles sont généralement mélangées à des

huiles neutres, dans les assaisonnements pour salades.

Les huiles provenant de graines
Les huiles d'arachide et de colza sont appréciées pour leur goût neutre.

LES CONDIMENTS

Les câpres
Il s'agit de boutons de fleurs d'un arbuste méditerranéen, confits dans du vinaigre. Légèrement acides, elles conviennent bien aux salades riches.

Les jus de citron et de citron vert
Les jus de citron et de citron vert confèrent une légère acidité aux assaisonnements à base d'huile. Ils sont à employer avec modération.

La moutarde
La moutarde souligne le goût des autres ingrédients. Elle joue le rôle d'émulsifiant dans les assaisonnements, permettant à l'huile et au vinaigre de se mélanger pendant un temps. Les moutardes les plus utilisées dans les salades sont la française, l'allemande, l'anglaise et la moutarde « à l'ancienne ».

De gauche à droite et de haut en bas : huile d'olive vierge italienne, huile d'olive espagnole, huile d'olive italienne, huile de carthame, huile de noisettes, huile de noix, huile d'arachide, huile d'olive française, huile d'olive italienne, vinaigre de vin blanc, citron, olives, citrons verts, câpres et moutarde.

Les olives
Les olives noires et vertes conviennent aux salades de type méditerranéen. Les noires sont généralement plus douces que les vertes.

LES VINAIGRES

Le vinaigre de vin blanc
Dans un assaisonnement, il doit être utilisé avec modération afin d'équilibrer la richesse de l'huile. Un bon vinaigre de vin blanc peut être employé de multiples façons.

Le vinaigre balsamique
Il est plus doux que les autres vinaigres et quelques gouttes suffisent à relever une salade ou un assaisonnement.

Préparer des huiles et vinaigres aromatisés

De nombreux vinaigres et huiles aromatisés existent dans le commerce, mais vous pouvez aisément les préparer vous-même. Versez l'huile ou le vinaigre dans un récipient en verre et assaisonnez. Laissez macérer 2 semaines, puis filtrez et transvasez dans une bouteille stérilisée. Fermez hermétiquement et collez une étiquette identifiant le contenu. Les vinaigres aromatisés se conservent 3 mois et les herbes macérées 10 jours. Les herbes fraîches doivent être complètement sèches avant utilisation.

VINAIGRE À LA FRAMBOISE

Dans une casserole, chauffez le vinaigre et 1 cuillerée à soupe d'épices 5 min, à petit feu. Versez le mélange chaud sur les framboises dans une jatte, et ajoutez 2 brins de serpolet. Couvrez et laissez macérer 2 jours dans un endroit frais et obscur. Filtrez, puis transvasez le vinaigre aromatisé dans une bouteille. Fermez hermétiquement.

VINAIGRE À L'ESTRAGON

Laissez macérer de l'estragon dans du vinaigre de cidre, puis transvasez. Glissez 2 ou 3 brins d'estragon dans la bouteille.

VINAIGRE AU ROMARIN

Faites macérer un brin de romarin dans du vinaigre de vin rouge, puis transvasez dans une bouteille. Ajoutez quelques brins de romarin.

VINAIGRE AUX CITRONS

Laissez macérer des zestes de citron et de citron vert dans du vinaigre de vin blanc, puis transvasez dans une bouteille. Ajoutez du zeste frais pour donner de la couleur.

HUILE À L'ANETH ET AU CITRON

Laissez macérer 1 poignée d'aneth et 1 lamelle de zeste de citron dans de l'huile d'olive vierge, puis transvasez. Utilisez dans les salades de poisson ou de fruits de mer.

HUILE AUX HERBES MÉDITERRANÉENNES

Faites macérer du romarin, du thym et de la marjolaine dans de l'huile d'olive vierge, puis transvasez.

HUILE AU BASILIC ET AUX PIMENTS ROUGES

Faites macérer du basilic et 3 piments rouges dans de l'huile d'olive vierge, puis transvasez. Nappez-en les salades de tomates à la mozzarella.

ATTENTION
Les huiles contenant des herbes et des épices fraîches peuvent produire des moisissures nocives, notamment si la bouteille a été ouverte et que le contenu n'est pas complètement recouvert d'huile. Il est donc conseillé de retirer les herbes et les épices une fois que l'huile a absorbé leurs arômes.

De gauche à droite : vinaigre à l'estragon, vinaigre au romarin, vinaigre à la framboise et vinaigre aux citrons.

Préparer des légumes

DÉCOUPER LE CHOU

Le chou fait partie de nombreuses salades. Le chou-rave, le chou vert et le chou rouge peuvent être découpés comme indiqué ci-dessous.

1 Coupez le chou en quartiers à l'aide d'un grand couteau.

2 Ôtez le cœur de chaque quartier : crue, cette partie n'est pas très comestible.

3 Débitez chaque quartier en fines lamelles. Le chou coupé se conserve plusieurs heures au réfrigérateur, mais ne l'assaisonnez pas avant d'être prêt à le servir.

HACHER UN OIGNON

Les oignons sont utilisés dans de nombreuses préparations, émincés en lamelles plus ou moins épaisses ou bien grossièrement hachés.

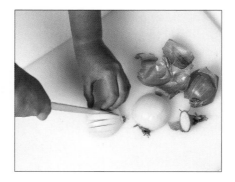

1 À l'aide d'un couteau bien aiguisé, enlevez la tige de l'oignon et coupez-le en deux en laissant la racine intacte. Épluchez l'oignon et mettez-le coupé en deux, la partie entamée sur la planche. Faites des lamelles verticales dans la longueur, sans abîmer la racine.

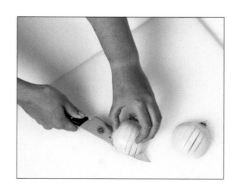

2 Pratiquez deux ou trois incisions horizontales en partant de l'extrémité où se trouve la tige, et en allant jusqu'à la racine mais sans couper jusqu'au bout.

3 Tournez l'oignon sur le côté. Découpez-le depuis la tige jusqu'à la racine : il tombera en dés. Coupez en laissant de plus grands intervalles si vous souhaitez obtenir de plus gros dés.

PRÉPARER L'AIL

Si vous ne possédez pas de hachoir, cette méthode donne de merveilleux résultats avec de l'ail très juteux.

1 Coupez la gousse d'ail, placez la lame d'un grand couteau dessus et appuyez avec le poing. Retirez toute la peau. Commencez par hacher finement la gousse.

2 Saupoudrez d'un peu de sel et, avec le côté plat d'une grande lame de couteau, mélangez le sel et l'ail jusqu'à ce que la gousse ramollisse et exprime son jus. Utilisez la pulpe de l'ail selon vos besoins.

PRÉPARER LES PIMENTS

Le piment ajoute un parfum particulier, mais il convient d'enlever les graines qui sont trop fortes.

1 Les piments pouvant irriter la peau, mettez des gants en caoutchouc et ne vous frottez jamais les yeux après en avoir touché. Coupez les piments en deux dans la longueur et retirez les graines.

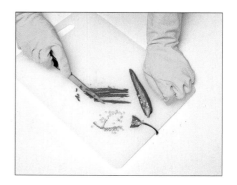

2 Débitez en lamelles, hachez finement et utilisez selon vos besoins. Lavez le couteau et la planche à l'eau chaude savonneuse. Pensez à vous laver les mains.

PELER LES TOMATES

Si vous avez le temps, pelez les tomates avant de les ajouter à des sauces ou à des coulis. Cela évite d'avoir des bouts de peau racornis qui restent durs après la cuisson.

1 Incisez chaque tomate en croix et mettez-les dans une jatte.

2 Recouvrez d'eau bouillante et laissez tremper 30 s. Les peaux devraient commencer à se détacher. Il faut un peu plus de temps pour les tomates légèrement vertes.

3 Égouttez les tomates et pelez-les avec un bon couteau. Ne laissez pas les tomates trop longtemps dans l'eau bouillante.

HACHER LES HERBES

Pour conserver leurs qualités, hachez les herbes juste avant de les utiliser.

1 Coupez les tiges et mettez les herbes sur une planche sèche.

2 À l'aide d'un couteau aiguisé, hachez les herbes au degré de finesse requis, en tenant le bout de la lame sur la planche, et en faisant osciller le manche de haut en bas.

JULIENNE DE LÉGUMES

Des bâtonnets, des carottes, des concombres et de céleri décorent une salade ou font une garniture.

1 Pelez le légume choisi et débitez-le en tronçons de 5 cm/ 2 po de long. Découpez une lamelle sur le côté du premier tronçon, afin qu'il repose, face aplatie, sur la planche.

2 Coupez chaque tronçon en lamelles dans la longueur. Empilez les lamelles de légumes et taillez-les en fins bâtonnets.

PRÉPARER LES OIGNONS NOUVEAUX

Ces oignons rendent les salades croquantes et goûteuses. Leur préparation, assez longue, vaut la peine.

1 Enlevez la racine de l'oignon à l'aide d'un bon couteau. Arrachez les feuilles abîmées et dures.

2 Pour accentuer le goût et obtenir une jolie couleur, émincez les parties vert foncé en julienne.

3 Pour une saveur plus subtile, n'utilisez que la partie blanche de l'oignon, jetez la racine et coupez finement en légère diagonale.

Préparer les fruits

LES AGRUMES

1 Pour les peler, coupez une tranche au sommet et à la base. Placez la base du fruit sur une planche.

2 Ôtez la peau dans le sens de la longueur et en suivant la courbe du fruit. Enlevez le zeste et les parties blanches amères.

1 Pour retirer le zeste, utilisez un économe, qui laisse la partie blanche intacte. Conservez le zeste tel quel ou émincez-le en fines lamelles avec un bon couteau.

2 Sinon, frottez le fruit contre une râpe en métal, en le tournant de façon à n'enlever que le zeste, sans toucher aux parties blanches. Coupez le zeste en lamelles, puis hachez-le afin d'obtenir de petits morceaux.

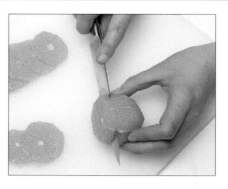

1 Pour couper le fruit en tranches, prenez un couteau à dents.

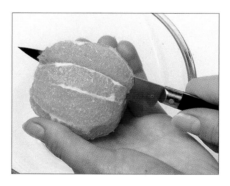

2 Pour obtenir des quartiers, tenez le fruit au-dessus d'un bol afin d'en recueillir le jus. Coupez de l'extérieur du fruit vers le centre, glissez le couteau d'un côté de la membrane de séparation, puis de l'autre. Continuez à détacher des quartiers.

LES GROSEILLES

Passez les dents d'une fourchette sur les tiges afin de détacher les baies (rouges, noires ou blanches).

LA POMME ET LA POIRE

1 Si vous souhaitez conserver le fruit entier, retirez le cœur à l'aide d'un vide-pomme.

2 Pour obtenir des moitiés, évidez avec une cuillère. Coupez la queue et la base avec un couteau.

3 Pour des rondelles, ôtez le cœur, mettez le fruit sur le côté avant de le couper.

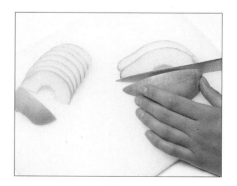

4 Pour des tranches, taillez le fruit en deux et ôtez le cœur. Posez une moitié, côté coupé sur la planche, et émincez dans la longueur. Faites de même avec l'autre moitié.

LA DATTE FRAÎCHE

Coupez le fruit en deux dans le sens de la longueur, puis ôtez le noyau.

LA PAPAYE ET LE MELON

Ouvrez le fruit en deux. Retirez les graines, puis grattez afin d'éliminer les fibres. Si vous souhaitez obtenir des tranches, procédez comme pour la poire.

LE KIWI ET LA CARAMBOLE

Découpez le fruit en rondelles. Jetez les extrémités.

L'ANANAS

1 Pour peler un ananas, posez-le sur sa base, tenez-le au sommet et coupez d'épaisses tranches, de haut en bas. Avec la pointe d'un couteau, éliminez les éventuels yeux restants.

2 Pour des morceaux, ouvrez le fruit pelé en deux dans la longueur, puis débitez-le en quartiers. Tranchez les quartiers en bâtons, ôtez le cœur et coupez les bâtons en dés.

3 Pour le présenter en tranches, pelez-le d'abord et ôtez le cœur.

CONSERVER DES COULEURS FRAÎCHES

Une fois coupés, certains fruits tels les pommes, les bananes ou les avocats s'oxydent s'ils restent longtemps exposés à l'air. Pour éviter qu'ils noircissent avant d'être servis, versez quelques gouttes de jus de citron sur les surfaces coupées ou plongez les fruits durs dans de l'eau au jus de citron, sans cependant les laisser tremper, car ils ramolliraient.

LA MANGUE

1 Coupez dans la longueur le long du noyau, puis taillez à partir des 2 fines extrémités du noyau.

2 Pelez et débitez la chair en tranches ou en dés.

LA PÊCHE, LE BRUGNON, L'ABRICOT ET LA PRUNE

Partagez le fruit en deux et séparez les moitiés. Retirez le noyau avec les doigts ou en vous aidant d'un couteau comme levier. Vous pouvez aussi couper le fruit en quartiers, puis ôter le noyau. Mettez le côté peau des quartiers vers le haut et pelez de haut en bas.

Les assaisonnements de salades

Bien que les ingrédients soient importants, le secret d'une salade réussie est un bon assaisonnement. Une vinaigrette faite avec une huile d'olive et un vinaigre de qualité supérieure peut sauver même les pires feuilles de laitue, tandis qu'une mayonnaise faite maison impressionne toujours. Si vous avez l'habitude d'assaisonner les salades, vous pouvez ajouter l'huile et le vinaigre juste avant de servir.

Le moyen le plus sûr de réussir votre assaisonnement est de le préparer à l'avance. Vous pourrez alors le conserver une semaine au réfrigérateur, et son goût ne fera que s'améliorer. Voici un choix d'assaisonnements qui devraient faire partie du répertoire de tout cuisinier.

ASSAISONNEMENT « 1 000 ÎLES »

Cet assaisonnement onctueux est parfait pour les salades vertes, les salades de carottes râpées, ainsi que celles à base de pommes de terre tièdes ou de riz.

INGRÉDIENTS

Pour environ 120 ml/4 oz/$^1/_2$ tasse

60 ml/4 c. à soupe d'huile de tournesol

15 ml/1 c. à soupe de jus d'orange

15 ml/1 c. à soupe de jus de citron

10 ml/2 c. à thé de zeste de citron râpé

15 ml/1 c. à soupe d'oignon haché

5 ml/1 c. à thé de paprika

5 ml/1 c. à thé de sauce Worcestershire

15 ml/1 c. à soupe de persil haché

sel et poivre noir moulu

Versez tous les ingrédients dans un bocal dont le couvercle se visse et assaisonnez selon votre goût. Mettez le couvercle et agitez.

VINAIGRETTE

La vinaigrette est l'assaisonnement le plus couramment utilisé pour accommoder les salades.

INGRÉDIENTS

Pour environ 120 ml/4 oz/$^1/_2$ tasse

90 ml/6 c. à soupe d'huile d'olive extra-vierge

15 ml/1 c. à soupe de vinaigre de vin blanc

5 ml/1 c. à thé de moutarde

1 pincée de sucre en poudre

1 Versez l'huile et le vinaigre dans un bocal à couvercle vissable.

2 Ajoutez la moutarde et le sucre en poudre.

3 Mettez le couvercle et agitez.

VINAIGRETTE AUX HERBES

Les herbes fraîches, au parfum et au goût délicats, agrémentent parfaitement les vinaigrettes. Vous pouvez n'utiliser qu'une seule herbe ou employer un choix varié. Servez avec une simple salade verte, un bon fromage, du pain frais et du vin.

INGRÉDIENTS

Pour environ 120 ml/4 oz/$^1/_2$ tasse

60 ml/4 c. à soupe d'huile d'olive extra-vierge

30 ml/2 c. à soupe d'huile d'arachide ou de tournesol

15 ml/1 c. à soupe de jus de citron

60 ml/4 c. à soupe d'herbes fraîches hachées (persil, ciboulette, estragon et marjolaine)

1 pincée de sucre en poudre

1 Versez les 2 huiles dans un bocal au couvercle vissable.

2 Ajoutez le jus de citron, les herbes et le sucre.

3 Mettez le couvercle sur le bocal et agitez vigoureusement.

MAYONNAISE

La mayonnaise est une simple émulsion faite de jaunes d'œufs et d'huile. Assurez-vous, avant de les mélanger, que ces deux ingrédients sont à température ambiante. La mayonnaise maison, préparée avec des jaunes d'œufs crus, peut ne pas convenir aux jeunes enfants, aux femmes enceintes et aux personnes âgées.

INGRÉDIENTS

Pour environ 300 ml/¹/₂ pinte/1¹/₄ tasses

2 jaunes d'œufs

5 ml/1 c. à thé de moutarde

150 ml/¹/₄ pinte/²/₃ tasse d'huile d'olive extra-vierge

150 ml/¹/₄ pinte/²/₃ tasse d'huile d'arachide ou de tournesol

2 c. à thé de vinaigre de vin blanc

sel et poivre noir en poudre

1 Mettez les jaunes d'œufs et la moutarde dans un mixer. Faites tourner l'appareil.

2 Ajoutez peu à peu l'huile d'olive pendant que le mixer tourne. Quand le mélange épaissit, incorporez l'huile d'arachide ou de tournesol en filet.

3 Incorporez le vinaigre, salez et poivrez selon votre goût.

ASSAISONNEMENT AU YAOURT

Cette version est beaucoup plus facile à préparer et moins riche en calories que la mayonnaise. Utilisez ou non des herbes selon votre goût.

INGRÉDIENTS

Pour environ 210 ml/7 oz/⁷/₈ tasse

150 ml/¹/₄ pinte/²/₃ tasse de yaourt nature

30 ml/2 c. à soupe de mayonnaise

30 ml/2 c. à soupe de lait

15 ml/1 c. à soupe de persil haché

15 ml/1 c. à soupe de ciboulette hachée

Mettez tous les ingrédients dans un bol. Salez, poivrez et mélangez.

ASSAISONNEMENT AU BLEU ET À LA CIBOULETTE

Les assaisonnements au fromage bleu ont un goût prononcé et relèvent bien les laitues d'hiver telles que la scarole, la frisée et la chicorée de Trévise.

INGRÉDIENTS

Pour environ 350 ml/12 oz/1¹/₂ tasses

75 g/3 oz de fromage bleu (roquefort, bleu d'Auvergne ou gorgonzola)

150 ml/¹/₄ pinte/²/₃ tasse de yaourt

45 ml/3 c. à soupe d'huile d'olive

30 ml/2 c. à soupe de jus de citron

15 ml/1 c. à soupe de ciboulette fraîche hachée

poivre noir moulu

1 Ôtez la croûte du fromage, émiettez-le et mélangez-le dans un bol avec ¹/₃ du yaourt.

2 Incorporez le reste du yaourt, l'huile d'olive et le jus de citron.

3 Ajoutez la ciboulette hachée et poivrez selon votre goût.

MAYONNAISE AU BASILIC
ET AU CITRON

*Cet assaisonnement raffiné est
parfumé avec du jus de citron et deux
sortes de basilic. Servez-le avec toutes
les laitues, les crudités ou les salades
de chou-rave. Il convient également
pour les pommes de terre en robe des
champs. Il se conserve une semaine
au réfrigérateur dans un bocal en
verre hermétiquement fermé.*

INGRÉDIENTS

Pour environ 300 ml/½ pinte/1¼ tasses

2 jaunes d'œufs

15 ml/1 c. à soupe de jus de citron

150 ml/¼ pinte/⅔ tasse d'huile d'olive
    extra-vierge

150 ml/¼ pinte/⅔ tasse d'huile
    de tournesol

4 gousses d'ail

1 poignée de basilic frais

1 poignée de basilic frais à feuilles claires

sel et poivre noir moulu

1 Mettez les jaunes d'œufs et le
jus de citron dans un mixer et
faites tourner brièvement.

2 Dans un bol, mélangez l'huile
d'olive et l'huile de tournesol.
Pendant que le mixer tourne, versez ce mélange en filet.

3 Lorsque la moitié de l'huile
a été ajoutée et que l'assaisonnement est bien émulsifié, l'huile
restante peut être incorporée plus
rapidement. Continuez à mixer
jusqu'à obtention d'une mayonnaise
épaisse et onctueuse.

4 Pelez et écrasez les gousses d'ail.
Ajoutez à la mayonnaise. Ou
bien mettez les gousses sur une
planche, salez légèrement, puis
appuyez avec la lame d'un couteau
avant de hacher la chair. Écrasez de
nouveau l'ail en une purée épaisse.
Mélangez à la mayonnaise.

5 Retirez les tiges de basilic et
arrachez les feuilles avec les
doigts. Incorporez à la mayonnaise.

6 Salez et poivrez à votre goût,
puis transférez la mayonnaise
dans un plat creux. Couvrez et laissez
au réfrigérateur jusqu'au service.

Assaisonnements et sauces instantanés

Pour un assaisonnement ou une sauce instantanée, essayez l'une de ces recettes, rapides et faciles. La plupart se préparent avec des ingrédients dont vous disposez déjà certainement chez vous.

CRÈME AUX OLIVES NOIRES

Mélangez de la pâte d'olives noires à de la crème fraîche épaisse afin que le tout soit homogène. Ajoutez du sel, du poivre noir moulu et un peu de jus de citron. Servez frais.

CRÈME FRAÎCHE AUX OIGNONS NOUVEAUX

Hachez finement quelques oignons nouveaux et mélangez à de la crème fraîche. Ajoutez un peu de sauce au piment, du jus de citron vert, du sel et du poivre noir moulu.

SAUCE GRECQUE AU YAOURT ET À LA MOUTARDE

Mélangez 1 pot de yaourt grec avec 5 à 10 ml/1 à 2 c. à thé de moutarde « à l'ancienne ». Servez en accompagnement de crudités.

MAYONNAISE AUX HERBES

Relevez une mayonnaise déjà prête avec une poignée d'herbes fraîches hachées : persil plat, basilic, aneth ou estragon par exemple.

SAUCE AU FROMAGE BLANC ET À LA CIBOULETTE

Ajoutez 30 à 45 ml/2 à 3 c. à soupe de ciboulette fraîche hachée à un pot de fromage blanc. Mélangez bien. Salez et poivrez à votre goût. Si la sauce est trop épaisse, allongez-la avec un peu de lait. Utilisez pour assaisonner toutes sortes de salades.

SAUCE AUX TOMATES ET AU RAIFORT

Donnez un goût piquant à un coulis de tomates, en lui incorporant 5 à 10 ml/1 à 2 c. à thé de raifort. Salez et poivrez à votre goût.

ASSAISONNEMENT AU YAOURT ET AUX ÉPICES

Dans 1 pot de yaourt, mélangez un peu de pâte de curry et du chutney.

SAUCE AUX TOMATES SÉCHÉES AU SOLEIL

Dans 1 pot de yaourt grec, ajoutez 15 à 30 ml/1 à 2 c. à soupe de concentré de tomates séchées au soleil et mélangez. Salez et poivrez à

De gauche à droite et de haut en bas : crème aux olives noires, crème fraîche aux oignons nouveaux, mayonnaise aux herbes, sauce aux tomates séchées au soleil, sauce grecque au yaourt et à la moutarde, sauce au fromage blanc et à la ciboulette, assaisonnement au yaourt et aux épices, sauce au pesto, sauce aux tomates et au raifort.

votre goût. Servez avec des tortilla chips.

SAUCE AU *PESTO*

Mélangez 15 ml/1 c. à soupe de *pesto* déjà préparé et 1 pot de crème fraîche aigre. Servez avec des crudités croquantes ou des légumes méditerranéens cuits au four tels que poivrons, oignons et courgettes.

LES SALADES
LÉGÈRES

Crudités

Pourquoi ne pas servir un assortiment coloré de légumes crus ou de crudités en apéritif ou en guise de hors-d'œuvre ? Avec n'importe quelle combinaison de légumes, crus ou légèrement cuits, de couleurs différentes, vous obtiendrez une présentation splendide. Veillez à disposer harmonieusement le tout sur un plat ou dans des paniers et servez avec une sauce très goûteuse : aïoli ou tapenade, par exemple. Prévoyez 75 à 115 g/ 3 à 4 oz de chaque légume par personne.

AÏOLI

Mettez 4 (plus ou moins, selon votre goût) gousses d'ail écrasées et 1 pincée de sel dans une jatte, puis pressez avec le dos d'une cuillère. Ajoutez 2 jaunes d'œufs et battez 30 s, afin que le mélange soit onctueux. Versez 250 ml/8 oz/1 tasse d'huile d'olive extra-vierge en filet. Fouettez bien jusqu'à ce que le tout commence à épaissir. Vous pouvez alors incorporer le reste de l'huile jusqu'à ce que la préparation prenne corps. Délayez la sauce avec un peu de jus de citron et assaisonnez selon votre goût. Vous pouvez conserver l'aïoli 2 jours au réfrigérateur ; faites alors revenir à température ambiante et mélangez avant de servir.

TAPENADE

Mettez 6 boîtes de filets d'anchois, 200 g/7 oz d'olives noires dénoyautées, 30 ml/2 c. à soupe de câpres rincées, 1 à 2 gousses d'ail, 5 ml/1 c. à thé de thym frais, 15 ml/1 c. à soupe de moutarde de Dijon, le jus d'½ citron, du poivre noir moulu et, si vous le souhaitez, 15 ml/1 c. à soupe d'eau-de-vie dans un mixer. Mixez 15 à 30 s jusqu'à ce que le mélange soit homogène, puis faites tomber ce qui adhère aux parois du récipient. Tout en mixant, ajoutez lentement 60 à 90 ml/4 à 6 c. à soupe d'huile d'olive extra-vierge jusqu'à obtention d'une purée lisse et ferme. Conservez dans un récipient hermétiquement fermé.

ASSORTIMENT DE LÉGUMES CRUS

INGRÉDIENTS

Pour 6 à 8 personnes

2 poivrons rouges et 2 poivrons jaunes épépinés et coupés en lamelles dans le sens de la longueur

225 g/8 oz d'épis de maïs nains ébouillantés

1 belle chicorée (rouge ou blanche) préparée

175 à 225 g/6 à 8 oz d'asperges minces préparées et ébouillantées

1 petite botte de radis avec ses feuilles

175 g/6 oz de tomates cerises

12 œufs de cailles pochés pendant 3 min, égouttés, refroidis et écalés

aïoli ou tapenade pour l'accompagnement

Disposez de manière décorative les légumes préparés et les œufs de cailles sur un plat. Couvrez d'une serviette de table humide jusqu'au moment de servir. Présentez avec de l'aïoli ou de la tapenade dans lesquels vous tremperez les légumes.

SALADE DE TOMATES ET DE CONCOMBRE

INGRÉDIENTS

Pour 4 à 6 personnes

4 ou 5 tomates mûres coupées en rondelles

1 concombre moyen pelé et coupé en fines rondelles

5 à 6 glaçons

30 ml/2 c. à soupe de vinaigre de vin blanc

90 ml/6 c. à soupe de crème fraîche ou aigre

30 ml/2 c. à soupe de menthe fraîche hachée

sel et poivre noir moulu

Mettez le concombre dans une jatte, salez, arrosez d'15 ml/1 c. à soupe de vinaigre, et ajoutez les glaçons. Laissez refroidir 1 h pour rendre les légumes croquants, puis rincez, égouttez et séchez en tamponnant avec un linge. Remettez dans la jatte, incorporez la crème fraîche ou aigre, la menthe et le poivre, et mélangez bien. Disposez les rondelles de tomates sur un plat, arrosez du reste de vinaigre et placez les rondelles de concombre au centre.

JULIENNE DE CAROTTES AU PERSIL

INGRÉDIENTS

Pour 4 à 6 personnes

450 g/1 lb de carottes émincées en julienne

1 gousse d'ail écrasée

zeste râpé et jus d'1 orange

30 à 45 ml/2 à 3 c. à soupe d'huile d'arachide

30 à 45 ml/2 à 3 c. à soupe de persil frais haché

Frottez une jatte avec la gousse d'ail et laissez-la dedans. Mettez le zeste et le jus d'orange, le sel et le poivre. Incorporez l'huile en fouettant jusqu'à ce que le tout soit homogène, puis ôtez l'ail. Ajoutez les carottes et la moitié du persil et mélangez bien. Décorez avec le persil restant.

Salade aux fines herbes

Plusieurs variétés de laitues étant disponibles toute l'année, essayez d'en utiliser un assortiment. Vous trouverez dans le commerce des mélanges de feuilles de laitues différentes en sachets.

INGRÉDIENTS

Pour 4 personnes

mélange de feuilles de laitues variées

1 botte de cresson d'environ 115 g/4 oz

2 endives coupées en rondelles

½ concombre

45 ml/3 c. à soupe d'herbes fraîches (persil, thym, estragon, ciboulette, cerfeuil)

Pour l'assaisonnement

15 ml/1 c. à soupe de vinaigre de vin blanc

5 ml/1 c. à thé de moutarde

75 ml/5 c. à soupe d'huile d'olive

sel et poivre noir moulu

1 Mélangez le vinaigre et la moutarde, puis ajoutez l'huile, le sel et le poivre en remuant.

2 Pelez le concombre, coupez-le en deux dans la longueur et ôtez les graines avec une cuillère. Débitez la chair en fines rondelles. Préparez les feuilles des laitues.

3 Mettez dans un saladier les feuilles de laitues, le cresson, le concombre, les endives et les herbes, mélangés ou disposés en couches.

4 Remuez l'assaisonnement, puis versez sur la salade de manière à recouvrir les feuilles. Servez immédiatement.

Melon et pamplemousses à la menthe

Le melon est apprécié en entrée. Il est ici associé à des pamplemousses, très rafraîchissants, et accompagné d'un assaisonnement simple.

INGRÉDIENTS

Pour 4 personnes

1 melon d'environ 1 kg/2¼ lb
2 pamplemousses roses
1 pamplemousse blanc
5 ml/1 c. à thé de moutarde de Dijon
5 ml/1 c. à thé de vinaigre de xérès
  ou à la framboise
5 ml/1 c. à thé de miel liquide
15 ml/1 c. à soupe de menthe fraîche hachée
brins de menthe fraîche pour la décoration

1 Coupez le melon en deux et ôtez les graines avec une cuillère. À l'aide d'une cuillère parisienne, façonnez des billes de chair.

2 Pelez les 3 pamplemousses en éliminant les parties blanches. Retirez les quartiers en coupant entre les membranes et en tenant le fruit au-dessus d'une jatte afin de recueillir le jus.

3 Ajoutez dans la jatte la moutarde, le vinaigre, le miel, la menthe hachée et le jus des pamplemousses en fouettant. Incorporez les billes de melon et les quartiers de pamplemousses, et mélangez bien. Laissez au réfrigérateur 30 min.

4 Servez dans quatre assiettes, décorée chacune d'1 brin de menthe fraîche.

Salade noire et orange

Cette salade épicée aux couleurs spectaculaires est d'une grande originalité. C'est un véritable régal pour les yeux et le palais.

INGRÉDIENTS

INGRÉDIENTS

Pour 4 personnes

3 oranges

115 g/4 oz/1 tasse d'olives
noires dénoyautées

15 ml/1 c. à soupe de coriandre
fraîche hachée

15 ml/1 c. à soupe de persil frais haché

Pour l'assaisonnement

30 ml/2 c. à soupe d'huile d'olive

15 ml/1 c. à soupe de jus de citron

2,5 ml/½ c. à thé de paprika

2,5 ml/½ c. à thé de cumin

1 Pelez les oranges, ôtez les membranes blanches et coupez les fruits en quartiers.

2 Mettez les oranges dans un saladier, puis ajoutez les olives noires, la coriandre et le persil.

3 Incorporez l'huile d'olive, le jus de citron, le paprika et le cumin. Versez l'assaisonnement sur la salade et mélangez délicatement. Laissez au réfrigérateur 30 min avant de servir.

Roquette et épinards à la coriandre

Les feuilles de roquette ont un merveilleux goût poivré. Cependant, à moins d'en disposer d'une importante quantité, il vous faudra peut-être ajouter des épinards ou d'autres feuilles vertes afin d'étoffer l'ensemble.

INGRÉDIENTS

Pour 4 personnes

115 g/4 oz ou plus de feuilles de roquette

115 g/4 oz de jeunes pousses d'épinards

environ 25 g/1 oz de coriandre fraîche

2 à 3 brins de persil frais

Pour l'assaisonnement

1 gousse d'ail écrasée

45 ml/3 c. à soupe d'huile d'olive

10 ml/2 c. à thé de vinaigre de vin blanc

1 pincée de paprika

poivre de Cayenne

1 Mettez les feuilles de roquette et d'épinards dans un saladier. Hachez la coriandre et le persil, puis saupoudrez-en la salade.

2 Mélangez l'ail, l'huile d'olive, le vinaigre, le paprika, le poivre et le sel dans un bol.

3 Versez l'assaisonnement sur la salade et servez aussitôt.

Salade César

Il existe de nombreuses légendes concernant l'origine de cette salade. La plus probable est qu'elle fut inventée par un Italien nommé Cesare Cardini qui possédait un restaurant au Mexique dans les années vingt. Pour être réussie, cette salade doit rester simple.

INGRÉDIENTS

Pour 4 personnes

1 romaine
3 tranches de pain frais d'1 cm/
  ½ po d'épaisseur
60 ml/4 c. à soupe d'huile à l'ail
50 g/2 oz de parmesan
sel et poivre noir moulu

Pour l'assaisonnement

25 g/1 oz de filets d'anchois en conserve,
  égouttés et grossièrement écrasés
2 jaunes d'œufs très frais
2,5 ml/½ c. à thé de moutarde
120 ml/4 oz/½ tasse d'huile d'olive
15 ml/1 c. à soupe de vinaigre de vin blanc

1 Pour l'assaisonnement, mélangez les anchois, les jaunes d'œufs, la moutarde, l'huile et le vinaigre dans un bocal dont le couvercle se visse. Fermez le bocal et agitez vigoureusement.

2 Ôtez la croûte du pain avec un couteau à dents et coupez en bâtonnets de 2,5 cm/1 po.

3 Chauffez l'huile à l'ail dans une grande poêle, puis mettez les morceaux de pain à dorer. Salez et épongez sur du papier absorbant.

4 Coupez de fins copeaux de parmesan à l'aide d'un économe.

5 Coupez, lavez et essorez la romaine. Disposez les feuilles dans le plat de service. Versez l'assaisonnement dessus, puis ajoutez les copeaux de parmesan et les croûtons. Salez, poivrez et servez.

CONSEIL

L'assaisonnement classique pour la salade César est à base de jaunes d'œufs crus. N'utilisez que des œufs dont vous êtes sûr de la fraîcheur. Il est déconseillé aux femmes enceintes, aux jeunes enfants et aux personnes âgées de consommer des jaunes d'œufs crus. En ce cas, vous pouvez remplacer ceux de l'assaisonnement par des jaunes d'œufs durs râpés sur la salade.

Salade turque

Cette salade classique consiste en un merveilleux mariage de textures et de saveurs. Le goût salé du formage est parfaitement équilibré par des légumes rafraîchissants.

INGRÉDIENTS

Pour 4 personnes

1 cœur de romaine
1 poivron vert
1 poivron rouge
½ concombre
4 tomates
1 oignon rouge
225 g/8 oz/2 tasses de feta émiettée
olives noires pour la décoration

Pour l'assaisonnement

45 ml/3 c. à soupe d'huile d'olive
45 ml/3 c. à soupe de jus de citron
1 gousse d'ail écrasée
15 ml/1 c. à soupe de menthe fraîche hachée
15 ml/1 c. à soupe de persil frais haché
sel et poivre noir moulu

1 Hachez la romaine en petits morceaux. Épépinez les poivrons, ôtez le cœur et débitez la chair en fines lamelles. Détaillez le concombre et les tomates en rondelles. Coupez l'oignon en deux, puis en fines rondelles.

2 Mettez la romaine, les poivrons, le concombre, les tomates et l'oignon haché dans une jatte. Disposez la feta dessus, puis tournez la salade délicatement.

3 Pour l'assaisonnement, mélangez l'huile d'olive, le jus de citron et l'ail dans un bol. Ajoutez la menthe et le persil hachés, salez et poivrez selon votre goût.

4 Versez l'assaisonnement sur la salade et remuez. Décorez de quelques olives noires et servez immédiatement.

Salade persane

Cette salade, très simple, peut être présentée avec quasiment tous les plats. N'ajoutez l'assaisonnement qu'au moment de servir.

INGRÉDIENTS

Pour 4 personnes

½ concombre
4 tomates
1 oignon
1 cœur de romaine

Pour l'assaisonnement

30 ml/2 c. à soupe d'huile d'olive
jus d'1 citron
1 gousse d'ail écrasée
sel et poivre noir moulu

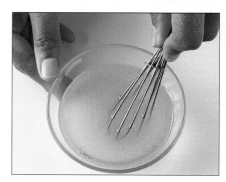

1 Coupez le concombre et les tomates en dés. Hachez finement l'oignon et préparez le cœur de romaine.

2 Mettez la romaine, les tomates, le concombre et l'oignon dans un saladier. Remuez délicatement.

3 Pour l'assaisonnement, mettez l'huile d'olive dans un bol. Ajoutez le jus de citron, l'ail, le poivre et le sel, et mélangez bien.

4 Versez l'assaisonnement sur la salade et remuez. Ajoutez un peu de poivre et servez.

Salade d'épinards aux champignons

Cette salade tonique se marie bien avec des plats corsés. Servie seule avec éventuellement une vinaigrette et des croûtons, elle peut constituer un repas léger.

INGRÉDIENTS

Pour 4 personnes

20 feuilles d'épinards
25 g/1 oz de cresson (facultatif)
115 g/4 oz/1½ tasses de champignons
10 épis de maïs nains
2 tomates moyennes
1 oignon moyen coupé en rondelles
sel et poivre noir moulu

2 Nettoyez les champignons et débitez-les en fines rondelles.

3 Disposez harmonieusement tous les ingrédients dans un saladier. Salez, poivrez et servez.

1 Lavez et égouttez les feuilles d'épinard et éventuellement le cresson. Coupez les épis de maïs nains dans le sens de la longueur et les tomates en rondelles.

Salade aux noix de cajou

Délicate et légèrement épicée, cette salade peut accompagner un plat principal ou se prévoir en entrée. Lors de réceptions, servez-la avec des mini-pitas farcis.

INGRÉDIENTS

Pour 4 personnes

1 courgette verte moyenne, débitée en rondelles
1 courgette jaune moyenne, débitée en rondelles
1 oignon moyen coupé en 12 rondelles
115 g/4 oz/¾ tasse de haricots rouges en conserve, égouttés
50 g/2 oz de coquillettes cuites
50 g/2 oz/½ tasse de noix de cajou
25 g/1 oz/¼ tasse de cacahuètes
quartiers de citron vert et brins de coriandre fraîche pour la décoration

Pour l'assaisonnement

120 ml/4 oz/½ tasse de fromage frais
30 ml/2 c. à soupe de yaourt nature
1 piment vert pilé
15 ml/1 c. à soupe de coriandre fraîche hachée
2.5 ml/½ c. à thé de poivre noir moulu
2.5 ml/½ c. à thé de poudre de piment rouge
15 ml/1 c. à soupe de jus de citron
2,5 ml/½ c. à thé de sel

1 Disposez les rondelles d'oignon et de courgettes, les haricots rouges et les coquillettes dans un saladier. Mettez les noix de cajou et les cacahuètes sur le dessus.

2 Dans un bol, mélangez le fromage frais, le yaourt, le piment vert, la coriandre et le sel à l'aide d'une fourchette.

3 Saupoudrez l'assaisonnement de poivre noir et de piment rouge, et arrosez de jus de citron. Décorez la salade avec les quartiers de citron vert et les brins de coriandre. Servez l'assaisonnement dans un bol séparé ou versez-le sur la salade.

Salade de cèpes frais

Dans cette délicieuse salade, le parfum des cèpes frais est exalté par un assaisonnement au jaune d'œuf et à l'huile de noix. Choisissez de préférence des cèpes de petite taille, plus fermes et plus savoureux.

INGRÉDIENTS

Pour 4 personnes

350 g/12 oz de cèpes frais

175 g/6 oz de feuilles de salades diverses
(batavia, jeunes pousses d'épinards,
frisée, par exemple)

50 g/2 oz/½ tasse de cerneaux de noix
grillés et émiettés

50 g/2 oz de parmesan débité en
fins copeaux

sel et poivre noir moulu

Pour l'assaisonnement

2 jaunes d'œufs

2,5 ml/½ c. à thé de moutarde

75 ml/5 c. à soupe d'huile d'arachide

45 ml/3 c. à soupe d'huile de noix

30 ml/2 c. à soupe de jus de citron

30 ml/2 c. à soupe de persil frais haché

1 pincée de sucre en poudre

2 Nettoyez les cèpes et coupez-les en fines rondelles.

3 Mettez les cèpes dans un saladier et ajoutez l'assaisonnement. Laissez reposer 10 à 15 min afin que les saveurs se mélangent.

4 Lavez et essorez les feuilles des diverses salades, puis incorporez-les aux cèpes.

5 Disposez la salade de cèpes sur quatre assiettes. Salez et poivrez généreusement, puis parsemez de cerneaux de noix et de copeaux de parmesan. Servez aussitôt.

1 Mettez les jaunes d'œufs, la moutarde, les huiles d'arachide et de noix, le jus de citron, le persil et le sucre dans un bocal dont le couvercle se visse. Fermez le bocal et agitez vigoureusement.

Salade grecque

*Si vous connaissez la Grèce,
vous savez que cette salade,
servie avec du pain croustillant,
constitue une merveilleuse entrée.*

Pour 4 personnes

1 romaine

½ concombre coupé en longueur

4 tomates

8 oignons nouveaux, débités en rondelles

olives noires

115 g/4 oz de feta

Pour l'assaisonnement

90 ml/6 c. à soupe de vinaigre de vin blanc

150 ml/¼ pinte/⅔ tasse d'huile d'olive
    extra-vierge

sel et poivre noir moulu

1 Préparez les feuilles de romaine
et mettez-les dans un saladier.
Coupez le ½ concombre en fines
tranches et ajoutez-le.

2 Disposez les tomates en quartiers dans le saladier.

CONSEIL

Cette salade peut être préparée
à l'avance et conservée au frais
mais elle ne doit être assaisonnée
qu'au moment de servir.
Gardez l'assaisonnement à
la température ambiante car le
réfrigérateur affadit la saveur.

3 Ajoutez les oignons nouveaux
et les olives, et mélangez.

4 Coupez la feta en dés, que vous
incorporez à la salade.

5 Fouettez le vinaigre, l'huile
d'olive, le sel et le poivre dans
un bol. Versez l'assaisonnement
sur la salade et mélangez. Servez
aussitôt avec, éventuellement, des
olives supplémentaires et du pain.

Salade d'oranges et d'oignons rouges

Le cumin et la menthe donnent à cette salade des accents moyen-orientaux. Utilisez de préférence des petites oranges sans pépins.

INGRÉDIENTS

Pour 6 personnes

6 oranges

2 oignons rouges

15 ml/1 c. à soupe de graines de cumin

5 ml/1 c. à thé de poivre noir
    grossièrement moulu

15 ml/1 c. à soupe de menthe
    fraîche hachée

90 ml/6 c. à soupe d'huile d'olive

sel

brins de menthe et olives noires
    pour la décoration

1 Coupez les oranges en fines rondelles au-dessus d'un bol afin de recueillir le jus. En tenant chaque rondelle au-dessus du bol, découpez la peau et la membrane blanche avec des ciseaux. Réservez le jus. Débitez les oignons en fines rondelles et séparez-les.

2 Disposez les rondelles d'oranges et d'oignons en couches dans un plat peu profond, saupoudrez chaque couche de graines de cumin, de poivre noir et de menthe hachée, arrosez d'huile d'olive et salez. Mouillez du jus d'oranges réservé.

3 Laissez mariner environ 2 h dans un endroit frais. Décorez la salade de brins de menthe et d'olives noires, puis servez.

Salade espagnole aux câpres et aux olives

Préparez cette rafraîchissante salade en été, quand les tomates sont gorgées de vitamines et particulièrement savoureuses.

INGRÉDIENTS

Pour 4 personnes

4 tomates

½ concombre

1 bouquet d'oignons nouveaux,
    sans les tiges et hachés

1 bouquet de cresson

30 ml/2 c. à soupe de câpres avec leur eau

8 olives farcies

Pour l'assaisonnement

30 ml/2 c. à soupe de vinaigre de vin rouge

2,5 ml/½ c. à thé de poudre de cumin

5 ml/1 c. à thé de paprika

1 gousse d'ail écrasée

75 ml/5 c. à soupe d'huile d'olive

sel et poivre noir moulu

1 Pelez les tomates et coupez finement la chair. Mettez-les dans un saladier.

2 Épluchez le concombre, puis débitez-le en dés et ajoutez-le aux tomates. Incorporez la moitié des oignons nouveaux et mélangez délicatement. Préparez le cresson et ajoutez-le aux tomates, avec les câpres et les olives.

3 Pour l'assaisonnement, mélangez le vinaigre de vin, le cumin, le paprika et l'ail dans un bol. Ajoutez l'huile en fouettant. Salez, poivrez selon votre goût. Versez sur la salade et remuez délicatement. Servez immédiatement avec le reste des oignons nouveaux.

Salade de carottes et d'oranges

La carotte et l'orange, qui paraissent avoir été faites l'une pour l'autre, constituent la base de cette salade originale et rafraîchissante.

INGRÉDIENTS

Pour 4 personnes
450 g/1 lb de carottes
2 grosses oranges
15 ml/1 c. à soupe d'huile d'olive
30 ml/2 c. à soupe de jus de citron
1 pincée de sucre en poudre (facultatif)
30 ml/2 c. à soupe de pistaches concassées ou de pignons grillés
sel et poivre noir moulu

1 Épluchez les carottes et râpez-les dans une jatte.

2 À l'aide d'un bon couteau, pelez les oranges puis coupez-les en quartiers, en recueillant le jus dans un bol.

3 Mélangez l'huile d'olive, les jus de citron et d'oranges. Salez et poivrez selon votre goût. Ajoutez éventuellement 1 pincée de sucre.

4 Mélangez les quartiers d'oranges et les carottes, et versez l'assaisonnement. Parsemez de pistaches ou de pignons avant de servir.

Salade d'épinards à l'ail grillé

Ne vous préoccupez pas ici de la quantité d'ail à utiliser. Lorsqu'il est grillé, l'ail perd son piquant et acquiert un goût subtil.

INGRÉDIENTS

Pour 4 personnes

450 g/1 lb de jeunes pousses d'épinards

12 gousses d'ail non pelées

60 ml/4 c. à soupe d'huile d'olive extra-vierge

50 g/2 oz/½ tasse de pignons légèrement grillés

jus d' ½ citron

sel et poivre noir moulu

1 Préchauffez le four à 190 °C/375 °F. Mettez l'ail sur une plaque de four. Versez 30 ml/2 c. à soupe d'huile d'olive, et faites griller au four environ 15 min, afin que les gousses d'ail dorent légèrement sur les coins.

2 Versez l'ail encore chaud dans un saladier. Ajoutez les épinards, les pignons, le jus de citron, le reste d'huile d'olive et un peu de sel. Mélangez bien et poivrez selon votre goût. Servez immédiatement, en prévenant vos convives de retirer la peau de l'ail avant de le manger.

Salade verte mélangée

Une combinaison idéale de feuilles comprendrait par exemple de la roquette, de la romaine, de la mâche et de la chicorée frisée, avec des herbes telles que du cerfeuil, du basilic, du persil et de l'estragon.

INGRÉDIENTS

Pour 4 à 6 personnes
1 gousse d'ail pelée
30 ml/2 c. à soupe de vinaigre de xérès
5 ml/1 c. à thé de moutarde
de Dijon (facultatif)
75 à 120 ml/5 à 8 c. à soupe d'huile d'olive
extra-vierge
200 à 225 g/7 à 8 oz d'un mélange de
feuilles de salades variées et d'herbes
sel et poivre noir moulu

1 Frottez un saladier avec la gousse d'ail et laissez-la dedans.

2 Ajoutez le vinaigre, le poivre, le sel et, le cas échéant, la moutarde. Mélangez bien les ingrédients, puis incorporez lentement l'huile d'olive en fouettant.

3 Retirez la gousse d'ail du saladier et versez-y l'assaisonnement.

4 Disposez les feuilles de salades et mélangez. Servez aussitôt, avant que les feuilles se flétrissent.

VARIANTE

Agrémentez la salade de quelques feuilles d'une variété un peu amère. Essayez le pissenlit lorsque c'est la saison, mais cueillez-le loin des routes à grande circulation et des champs traités aux herbicides.

Salade de céleri-rave à la pomme

Malgré son aspect rugueux, le céleri-rave a un goût très subtil. Bien qu'on le fasse traditionnellement bouillir dans de l'eau citronnée, il est ici servi cru, de façon à préserver sa saveur et sa texture, très particulières.

INGRÉDIENTS

Pour 3 à 4 personnes
675 g/1½ lb de céleri-rave pelé
1 pomme
10 à 15 ml/2 à 3 c. à thé de jus de citron
5 ml/1 c. à thé d'huile de noix (facultatif)
45 ml/3 c. à soupe de mayonnaise
10 ml/2 c. à thé de moutarde de Dijon
15 ml/1 c. à soupe de persil frais haché
sel et poivre noir moulu

1 Râpez le céleri-rave dans un mixer ou à l'aide d'une râpe à fromage. Vous pouvez aussi le couper en fines lamelles.

2 Mettez le céleri-rave râpé dans une jatte. Versez le jus de citron et, le cas échéant, l'huile de noix. Mélangez bien.

3 Pelez la pomme. Évidez-la et taillez-la en quartiers. Coupez ces quartiers dans le sens de la largeur, en fines lamelles, et mettez dans la jatte avec le céleri-rave.

4 Dans un saladier, mélangez la mayonnaise, la moutarde et le persil. Salez et poivrez. Ajoutez le mélange de céleri-rave et de pomme, puis remuez. Laissez au réfrigérateur quelques heures avant de servir.

Endives aux fruits et aux noix

L'endive, avec ses jolies feuilles allongées et son goût légèrement amer, se marie parfaitement avec les fruits et s'accompagne bien d'une onctueuse sauce au curry.

INGRÉDIENTS

Pour 4 personnes

2 grosses endives

½ laitue

50 g/2 oz/½ tasse de noix de cajou

50 g/2 oz/1¼ tasses de poudre de noix de coco

2 pommes rouges

75 g/3 oz/⅓ tasse de raisins de Corinthe

Pour l'assaisonnement

45 ml/3 c. à soupe de mayonnaise

15 ml/1 c. à soupe de yaourt grec

15 ml/1 c. à soupe de pâte de curry doux

90 ml/6 c. à soupe de crème liquide

1 Pour l'assaisonnement, mélangez la mayonnaise, le yaourt, la pâte de curry et la crème liquide dans un bol. Couvrez et tenez au frais jusqu'au moment de servir.

2 Préparez la laitue et mettez-la dans une jatte.

3 Coupez la racine de chaque endive, séparez les feuilles et ajoutez-les à la laitue. Préchauffez le gril du four.

4 Faites griller les noix de cajou 2 min jusqu'à ce qu'elles soient dorées. Mettez-les dans un bol et réservez. Étalez la poudre de noix de coco sur une plaque de four. Faites-la dorer 1 min sous le gril.

5 Évidez les pommes et coupez-les en quartiers, puis en rondelles. Ajoutez-les à la laitue, avec la noix de coco, les noix de cajou et les raisins de Corinthe.

6 Versez l'assaisonnement sur la salade. Mélangez délicatement et servez aussitôt.

CONSEIL

Surveillez bien la noix de coco râpée et les noix de cajou pendant que vous les faites griller, car elles ont tendance à noircir très vite.

Roquette au fenouil et aux oranges

Cette salade, rafraîchissante et légère, est idéale avec des plats riches ou épicés.

INGRÉDIENTS

Pour 4 personnes
115 g/4 oz de feuilles de roquette
1 bulbe de fenouil
2 oranges
50 g/2 oz/¹⁄₃ tasse d'olives noires

Pour l'assaisonnement
30 ml/2 c. à soupe d'huile d'olive
    extra-vierge
15 ml/1 c. à soupe de vinaigre balsamique
1 petite gousse d'ail écrasée
sel et poivre noir moulu

1 À l'aide d'un économe, découpez des lamelles de zeste sur les oranges, en laissant la membrane blanche. Ébouillantez-les quelques minutes, égouttez et réservez.

2 Pelez les oranges en enlevant toute la membrane blanche. Coupez-les en fines rondelles et jetez les éventuels pépins.

3 Coupez le fenouil en deux, dans le sens de la longueur. Avec un mixer muni d'une lame adéquate, débitez le fenouil en lamelles aussi fines que possible. À défaut, utilisez une mandoline.

4 Mettez les oranges et le fenouil dans une jatte, et ajoutez les feuilles de roquette.

5 Mélangez l'huile, le vinaigre, l'ail, le sel et le poivre. Versez sur la salade, tournez et laissez reposer quelques minutes. Décorez avec les olives noires et les lamelles de zeste d'oranges, et servez.

Aubergine au citron et aux câpres

Ce hors-d'œuvre est délicieux seul ou en accompagnement de viandes froides, servi avec du pain croustillant. Veillez à ce que l'aubergine soit bien cuite : elle doit être fondante.

INGRÉDIENTS

Pour 4 personnes
1 aubergine d'environ 675 g/1¹⁄₂ lb
30 ml/2 c. à soupe de câpres rincées
zeste râpé et jus d'1 citron
60 ml/4 c. à soupe d'huile d'olive
12 olives vertes dénoyautées
30 ml/2 c. à soupe de persil plat haché
sel et poivre noir moulu

1 Coupez l'aubergine en dés de 2,5 cm/1 po. Chauffez l'huile d'olive dans une poêle et faites revenir les dés d'aubergine, à feu moyen, environ 10 min, en les retournant régulièrement jusqu'à ce qu'ils soient dorés et moelleux. Il sera peut-être nécessaire de procéder en deux fois. Égouttez-les sur du papier absorbant et salez légèrement.

2 Mettez les dés d'aubergine dans un saladier. Ajoutez le zeste et le jus de citron, les câpres, les olives et le persil haché. Salez et poivrez généreusement.

CONSEIL

Ce plat est meilleur lorsqu'il a été préparé la veille. Vous pouvez le conserver 4 jours au frais dans un récipient fermé.

Salade de chou-rave et de pommes

*Les Anglais et les Américains
appellent la salade de chou-rave
coleslaw, du néerlandais koolsla,
signifiant « chou frais ». Il existe
de nombreuses variantes de
cette salade traditionnellement
servie avec du jambon.*

INGRÉDIENTS

Pour 4 personnes
450 g/1 lb de chou-rave
2 pommes pelées et évidées
1 oignon moyen
175 g/6 oz de carottes épluchées
150 ml/¼ pinte/⅔ tasse de mayonnaise
5 ml/1 c. à thé de sel au céleri
poivre noir moulu

1 Ôtez les feuilles extérieures du chou-rave si elles sont sales. Coupez le chou-rave en tronçons de 5 cm/1 po, puis retirez la queue.

2 Mettez le chou-rave et l'oignon dans un mixer équipé d'une lame appropriée. Faites tourner l'appareil. Râpez ensuite les pommes et les carottes. Si vous ne possédez pas de mixer, utilisez une râpe manuelle et un économe.

3 Mélangez tous les ingrédients dans un saladier. Ajoutez la mayonnaise et assaisonnez avec le sel au céleri et le poivre noir.

VARIANTE

Pour enrichir la salade, ajoutez 115 g/4 oz/½ tasse de cheddar. Le fromage rendant ce plat plus nourrissant, vous en consommerez sans doute de plus petites portions.

Salade de chou-rave aux fruits secs

Savoureuse variante de la salade de chou-rave classique, ce plat coloré comprend un mélange de chou-rave, de carottes et de deux sortes de fruits secs, avec une sauce au yaourt.

INGRÉDIENTS

Pour 6 personnes

350 g/12 oz/3 tasses de chou-rave émincé
225 g/8 oz/1½ tasses de carottes râpées
175 g/6 oz/1⅛ tasses de raisins secs
75 g/3 oz/¾ tasse d'abricots secs hachés
1 oignon rouge coupé en fines rondelles
3 branches de céleri coupées en morceaux

Pour l'assaisonnement

120 ml/4 oz/½ tasse de mayonnaise
90 ml/6 c. à soupe de yaourt nature
30 ml/2 c. à soupe d'un mélange d'herbes
fraîches hachées
sel et poivre noir moulu

1 Mettez le chou-rave et les carottes dans un saladier.

2 Ajoutez l'oignon, le céleri, les raisins et les abricots secs, et remuez bien.

3 Dans un bol, mélangez la mayonnaise avec le yaourt, les herbes, le sel et le poivre.

4 Ajoutez l'assaisonnement à la salade et remuez bien. Couvrez et mettez au réfrigérateur jusqu'au moment de servir.

VARIANTE

Vous pouvez remplacer les raisins et les abricots par d'autres fruits secs tels que des poires et des pêches séchées et des raisins de Smyrne.

Salade de chou-rave et de fenouil

Voici une autre variante de la salade de chou-rave dans laquelle le fenouil joue un rôle prépondérant.

INGRÉDIENTS

Pour 4 personnes

175 g/6 oz de chou-rave
175 g/6 oz de fenouil
2 oignons nouveaux
115 g/4 oz de céleri
175 g/6 oz de carottes
50 g/2 oz/³⁄₈ tasse de raisins de Smyrne
2,5 ml/½ c. à thé de graines
   de carvi (facultatif)
15 ml/1 c. à soupe de persil frais haché
45 ml/3 c. à soupe d'huile d'olive extra-vierge
5 ml/1 c. à thé de jus de citron
lamelles d'oignon pour la décoration

3 Incorporez le persil haché, l'huile d'olive et le jus de citron, et mélangez bien. Couvrez, puis laissez 3 h au réfrigérateur afin de permettre aux différentes saveurs de s'imprégner. Servez cette salade décorée de fines lamelles d'oignon.

VARIANTE

Pour une texture plus onctueuse, remplacez l'huile d'olive par de la crème aigre.

1 À l'aide d'un bon couteau, coupez le fenouil et les oignons nouveaux en fines lamelles.

2 Émincez le chou-rave, le céleri et les carottes en fines lamelles. Mettez dans un saladier avec le fenouil et les oignons nouveaux. Ajoutez les raisins de Smyrne et éventuellement les graines de carvi, puis mélangez délicatement.

Salade de soja et de radis noir

INGRÉDIENTS

Pour 4 personnes

225 g/8 oz/1 tasse de soja

1 petit radis noir

1 concombre

2 carottes

1 petit oignon rouge coupé
    en fines rondelles

2,5 cm/1 po de racine de gingembre frais,
    pelée et émincée

1 petit piment rouge, épépiné et débité
    en fines lamelles

1 poignée de feuilles de coriandre
    ou de menthe fraîches

Pour l'assaisonnement oriental

15 ml/1 c. à soupe de vinaigre d'alcool
    de riz

15 ml/1 c. à soupe de sauce de soja
    peu épicée

15 ml/1 c. à soupe de nuoc-mâm

1 gousse d'ail écrasée

15 ml/1 c. à soupe d'huile de sésame

45 ml/3 c. à soupe d'huile d'arachide

30 ml/2 c. à soupe de graines
    de sésame grillées

1 Préparez d'abord l'assaisonnement. Mettez tous les ingrédients dans un bocal fermant bien.
Bouchez le bocal et agitez vigoureusement. L'assaisonnement peut
se préparer à l'avance. Il se conserve
2 jours au réfrigérateur ou dans un
endroit frais.

2 Lavez le soja et égouttez-le
dans une passoire.

3 Pelez le concombre, coupez-le
en deux dans la longueur et
épépinez-le. À l'aide d'un économe
ou d'une mandoline, taillez la chair
du concombre en longs rubans.

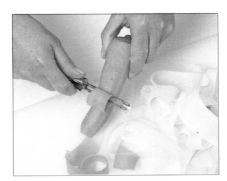

4 Débitez les carottes et le radis
en longues lamelles de la même
façon que pour le concombre.

5 Mettez les carottes, le radis et
le concombre dans un plat peu
profond. Ajoutez l'oignon, le gingembre, le piment et la coriandre ou
la menthe, et remuez. Versez l'assaisonnement juste avant de servir.

Tzatziki

Le tzatziki est une salade grecque au concombre, assaisonnée avec du yaourt, de la menthe et de l'ail. Traditionnellement servi avec de l'agneau et du poulet grillé, il accompagne aussi très bien du saumon ou de la truite.

INGRÉDIENTS

Pour 4 personnes

1 concombre

5 ml/1 c. à thé de sel

45 ml/3 c. à soupe de menthe fraîche hachée et quelques brins pour la décoration

1 gousse d'ail écrasée

5 ml/1 c. à thé de sucre en poudre

200 ml/7 oz/scant 1 tasse de yaourt grec

paprika pour la décoration (facultatif)

1 Pelez le concombre. Réservez éventuellement un petit morceau pour la décoration et coupez le reste en deux, dans la longueur. Épépinez le concombre avec une cuillère à thé, puis taillez-le en fines rondelles et salez. Laissez dégorger environ 15 à 20 min. Le sel ramollira la chair du concombre et en éliminera l'amertume.

2 Mettez la menthe hachée, l'ail, le sucre et le yaourt dans un bol. Mélangez bien.

3 Transférez le concombre dans une passoire et passez-le sous l'eau froide, afin d'éliminer le sel. Égouttez-le bien et mélangez-le à la préparation au yaourt dans un saladier. Décorez de brins de menthe et éventuellement de paprika. Vous pouvez également réaliser une fleur avec des lamelles de concombre découpées dans le morceau réservé.

CONSEIL
❧

Si vous êtes pressé, ne salez pas le concombre. Il sera plus croquant et légèrement plus acide.

Concombres marinés à l'aneth

Cette salade, parfumée à l'aneth et agréablement rafraîchissante, est particulièrement appréciée lorsqu'il fait chaud.

INGRÉDIENTS

Pour 4 à 6 personnes

2 concombres moyens
15 ml/1 c. à soupe de sel
90 g/3½ oz/½ tasse de sucre cristallisé
175 ml/6 oz/¾ tasse de cidre brut
15 ml/1 c. à soupe de vinaigre de cidre
45 ml/3 c. à soupe d'aneth frais haché
poivre noir moulu

1 Coupez les concombres en fines rondelles et mettez-les dans une passoire, en saupoudrant chaque couche de sel. Posez la passoire sur une jatte et laissez égoutter 1 h.

2 Rincez bien les tranches de concombre à l'eau froide pour enlever l'excès de sel, puis essuyez-les avec du papier absorbant.

3 Dans une petite casserole, faites chauffer le sucre, le cidre et le vinaigre à petit feu jusqu'à ce que le sucre ait fondu. Retirez du feu et laissez refroidir. Mettez les tranches de concombres dans une jatte, versez le mélange de cidre et laissez mariner 2 h.

4 Égouttez le concombre, puis saupoudrez d'aneth et de poivre. Mélangez bien et transférez dans un saladier. Laissez au réfrigérateur jusqu'au moment de servir.

CONSEIL

Cette salade accompagne délicieusement du saumon.

Salade du jardin aux fleurs

Cette salade multicolore, garnie de croûtons, est assaisonnée avec de l'huile d'olive de premier choix.

INGRÉDIENTS

Pour 4 à 6 personnes

½ petite romaine

½ feuille de chêne

25 g/1 oz de feuilles de roquette ou de cresson

1 poignée de jeunes feuilles de pissenlit

25 g/1 oz de persil plat frais

3 tranches épaisses de pain rassis (pain de campagne, de préférence)

120 ml/4 oz/½ tasse d'huile d'olive extra-vierge

1 gousse d'ail coupée en deux

jus d'1 citron

quelques feuilles et fleurs de capucines, pensées et soucis

sel marin et poivre noir moulu

1 Coupez les tranches de pain en dés d'1 cm/½ po.

2 Chauffez doucement la moitié de l'huile dans une poêle. Faites revenir les morceaux de pain en les retournant jusqu'à ce qu'ils soient dorés. Retirez-les et laissez refroidir.

3 Frottez l'intérieur d'un saladier avec les bords coupés d'une gousse d'ail, puis jetez l'ail. Versez le reste de l'huile dans le fond du saladier.

4 Préparez les feuilles des différentes salades, ainsi que le persil, et mettez le tout dans le saladier. Salez et poivrez. Couvrez et gardez au frais jusqu'au moment de passer à table.

5 Avant de servir, imprégnez bien les feuilles de salades d'huile, puis arrosez de jus de citron et remuez de nouveau. Disposez les croûtons et les fleurs sur le dessus et servez immédiatement.

Salade d'épinards frais et d'avocat

Les jeunes pousses d'épinards changent de la laitue. Elles sont délicieuses, servies avec de l'avocat, des tomates cerises, des radis et une sauce originale au tofu.

INGRÉDIENTS

Pour 2 à 3 personnes

225 g/8 oz de jeunes pousses d'épinards

1 gros avocat

jus d'1 citron vert

115 g/4 oz de tomates cerises

4 oignons nouveaux coupés en rondelles

½ concombre

50 g/2 oz de radis coupés en rondelles

lamelles de radis et brins d'herbes fraîches
 pour la décoration

Pour l'assaisonnement

115 g/4 oz de tofu tendre

45 ml/3 c. à soupe de lait

10 ml/2 c. à thé de moutarde

2,5 ml/½ c. à thé de vinaigre de vin blanc

poivre de Cayenne

sel et poivre noir moulu

1 Coupez l'avocat en deux, dénoyautez et pelez-le. Débitez la chair en rondelles. Mettez-la dans un plat, arrosez avec le jus de citron vert et réservez.

2 Lavez et essorez bien les jeunes pousses d'épinards. Mettez-les dans une jatte.

3 Partagez en deux les grosses tomates cerises et mettez-les avec les autres dans la jatte. Ajoutez les oignons nouveaux. Débitez le concombre en morceaux et incorporez à la salade, ainsi que les rondelles de radis.

CONSEIL

Utilisez du tofu tendre plutôt que celui qui se présente sous forme de pâté ferme. Vous le trouverez dans la plupart des supermarchés.

4 Mettez le tofu, le lait, la moutarde, le vinaigre et 1 pincée de poivre de Cayenne dans un mixer. Salez et poivrez selon votre goût. Actionnez l'appareil 30 s, jusqu'à ce que le tout soit homogène. Versez ce mélange dans un bol et ajoutez éventuellement un peu de lait pour délayer. Poivrez encore un peu. Disposez les morceaux d'avocat et la salade d'épinards sur un plat, puis décorez de lamelles de radis et de brins d'herbes. Servez l'assaisonnement séparément.

Salade de radis, de mangue et de pomme

Le radis est disponible en toute saison et cette salade, fraîche et croquante, peut être consommée tout au long de l'année. Servez-la pour accompagner du poisson fumé ou avec du jambon ou du salami.

Pour 4 personnes
10 à 15 radis
1 petite mangue mûre
1 pomme pelée, évidée et coupée
    en fines rondelles
2 branches de céleri coupées
    en fines rondelles
quelques brins d'aneth frais
    pour la décoration

Pour l'assaisonnement
120 ml/4 oz/½ tasse de crème aigre
10 ml/2 c. à thé de raifort
15 ml/1 c. à soupe d'aneth frais haché
sel et poivre noir moulu

1 Mélangez la crème aigre, le raifort et l'aneth dans un bol. Salez et poivrez légèrement.

2 Équeutez les radis et débitez-les en fines rondelles. Mettez-les dans un saladier avec la pomme et le céleri.

3 Coupez la mangue en deux dans la longueur, d'un côté ou de l'autre du noyau. Sur chaque moitié de la mangue, pratiquez des incisions régulières en damier dans la chair, puis tordez le fruit vers l'arrière afin de séparer les dés. Retirez ces derniers avec un couteau et mettez-les dans le saladier. Versez l'assaisonnement sur les légumes et les fruits. Mélangez délicatement en enrobant bien tous les ingrédients. Décorez avec des brins d'aneth et servez.

Salade de tomates à la mangue

La mangue verte se marie particulièrement bien avec la tomate. Cette salade constitue un hors-d'œuvre étonnant.

Pour 4 personnes

2 grosses tomates coupées en rondelles

1 mangue ferme et verte

½ oignon rouge coupé en rondelles

½ concombre pelé et coupé
   en fines rondelles

ciboulette ciselée pour la décoration

Pour l'assaisonnement

30 ml/2 c. à soupe d'huile de tournesol

15 ml/1 c. à soupe de jus de citron

1 gousse d'ail écrasée

2,5 ml/½ c. à thé de sauce au piment (forte)

sel et poivre noir moulu

1 Coupez la mangue en deux dans la longueur, d'un côté ou de l'autre du noyau. Débitez la chair en tranches et pelez-les.

2 Disposez la mangue, les tomates, le concombre et l'oignon sur un plat.

3 Mixez l'huile, le jus de citron, l'ail et la sauce au piment avec du sel et du poivre. Si vous n'avez pas de mixer, mettez ces ingrédients dans un bocal dont le couvercle se visse, et agitez vigoureusement.

4 Versez l'assaisonnement sur la salade et servez-la décorée de ciboulette.

Salade d'oranges et de châtaignes d'eau

*Cette salade, très originale,
comprend des châtaignes d'eau,
de la chicorée de Trévise ou
de la laitue rouge et des oranges.*

INGRÉDIENTS

Pour 4 personnes

2 oranges pelées et coupées en quartiers

1 boîte de châtaignes d'eau, vidées
   de leur eau, pelées et taillées en lamelles

2 chicorées de Trévise sans le cœur ou
   1 laitue rouge avec les feuilles séparées

1 oignon rouge moyen coupé
   en fines rondelles

45 ml/3 c. à soupe de persil frais haché

45 ml/3 c. à soupe de basilic frais haché

15 ml/1 c. à soupe de vinaigre de vin blanc

50 ml/2 oz/¼ tasse d'huile de noix

sel et poivre noir moulu

1 brin de basilic frais pour la décoration

1 Mettez les rondelles d'oignon dans une passoire et saupoudrez d'15 ml/1 c. à thé de sel. Laissez dégorger 15 min.

2 Mélangez les oranges et les châtaignes d'eau dans une jatte.

3 Disposez les feuilles des chicorées de Trévise ou de la laitue rouge dans un saladier peu profond ou sur un plat.

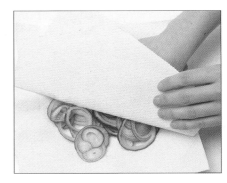

4 Rincez l'oignon pour ôter l'excès de sel et essuyez sur du papier absorbant. Mélangez aux châtaignes d'eau et aux oranges.

5 Déposez le mélange de châtaignes d'eau, d'oranges et d'oignon sur les feuilles de chicorées ou de laitue rouge. Saupoudrez de persil et de basilic.

6 Mettez le vinaigre, l'huile, le sel et le poivre dans un bocal dont le couvercle se visse. Fermez le bocal et agitez énergiquement. Versez cet assaisonnement sur la salade et servez-la aussitôt, décorée d'1 brin de basilic.

Chou-rave à la mayonnaise au pesto

Vous pouvez préparer vous-même le pesto et la mayonnaise pour cette salade. Cependant, si vous avez peu de temps, achetez-les tout prêts. Ajoutez l'assaisonnement juste avant de servir afin que le chou-rave reste croquant.

INGRÉDIENTS

Pour 4 à 6 personnes

1 petit ou ½ chou-rave
3 à 4 carottes râpées
4 oignons nouveaux coupés
    en fines rondelles
25 à 40 g/1 à 1½ oz/¼ à ⅓ tasse de pignons
3 c. à soupe de persil frais haché
15 ml/1 c. à soupe d'herbes fraîches
    hachées (persil, basilic et cerfeuil)

Pour la mayonnaise au *pesto*

1 jaune d'œuf
environ 10 ml/2 c. à thé de jus de citron
200 ml/7 oz/ ⅞ tasse d'huile de tournesol
10 ml/2 c. à thé de *pesto*
60 ml/4 c. à soupe de yaourt nature
sel et poivre noir moulu

1 Mixez le jaune d'œuf avec le jus de citron. Tandis que l'appareil tourne, ajoutez l'huile très lentement, puis plus rapidement quand la mayonnaise commence à prendre.

2 Salez et poivrez selon votre goût, et rajoutez un peu de jus de citron si nécessaire. Si vous ne disposez pas d'un mixer, battez la mayonnaise à la main.

3 Mettez 75 ml/5 c. à soupe de mayonnaise dans un bol. Ajoutez le *pesto* et le yaourt, en fouettant bien pour que l'assaisonnement reste fluide.

4 Ôtez les feuilles extérieures du chou-rave. Avec un mixer ou un bon couteau, émincez le chou-rave en fines lamelles et mettez-les dans un saladier.

5 Ajoutez les carottes, les oignons nouveaux, les pignons et les herbes, en remuant avec les mains. Incorporez l'assaisonnement à la salade ou servez-le séparément dans une coupelle.

Salade de poivron et de concombre

Le poivron et le concombre sont ici métamorphosés par de généreuses quantités d'herbes fraîches.

INGRÉDIENTS

Pour 4 personnes

1 poivron jaune ou rouge
1 gros concombre
4 à 5 tomates
1 bouquet d'oignons nouveaux
30 ml/2 c. à soupe de persil frais
30 ml/2 c. à soupe de menthe fraîche
30 ml/2 c. à soupe de coriandre fraîche
2 pitas pour l'accompagnement

Pour l'assaisonnement

2 gousses d'ail écrasées
75 ml/5 c. à soupe d'huile d'olive
jus de 2 citrons
sel et poivre noir moulu

1 Débitez le poivron en lamelles, en ôtant les graines et le cœur. Coupez grossièrement les tomates et le concombre. Mettez tous les légumes dans un saladier.

2 Détaillez les oignons nouveaux en rondelles. Ajoutez-les aux autres légumes. Hachez finement le persil, la menthe et la coriandre, et incorporez à la salade (si vous disposez de plus d'herbes, mettez-en autant que vous le désirez).

3 Mélangez l'ail, l'huile d'olive et le jus de citron dans un récipient, salez et poivrez selon votre goût. Versez l'assaisonnement sur la salade et remuez délicatement.

4 Passez les pitas au grille-pain ou sous un gril chaud jusqu'à ce qu'ils soient à point et servez-les avec la salade.

VARIANTE

Vous pouvez aussi préparer cette salade orientale de façon traditionnelle : après avoir fait griller les pitas, écrasez-les dans votre main, puis émiettez-les sur la salade juste avant de servir.

Guacamole et chicorée de Trévise

*Ce hors-d'œuvre, délicieux et léger,
est particulièrement attrayant
sur son lit de chicorée de Trévise.
Servez-le avec du pain chaud à l'ail.*

INGRÉDIENTS

Pour 4 personnes

feuilles de chicorée de Trévise

2 avocats mûrs

2 tomates

15 ml/1 c. à soupe d'oignon râpé

1 gousse d'ail écrasée

1 piment vert coupé en deux,
    égrené et haché

30 ml/2 c. à soupe d'huile d'olive

30 ml/2 c. à soupe de coriandre
    ou de persil frais haché(e)

2,5 ml/½ c. à thé de cumin en poudre

jus d'1 citron vert

sel et poivre noir moulu

brins de coriandre frais
    pour la décoration

pain croustillant à l'ail et quartiers
    de citron pour l'accompagnement

2 Mettez la chair des tomates dans une jatte avec l'oignon, l'ail et le piment. Coupez les avocats en deux, enlevez le noyau puis, avec une cuillère, déposez la chair sur une assiette creuse. Écrasez-la avec une fourchette.

3 Ajoutez l'huile, la coriandre ou le persil, le cumin et le jus de citron. Mélangez, salez et poivrez.

4 Disposez les feuilles de chicorée sur un plat et garnissez-les de guacamole. Servez décoré de brins de coriandre et accompagné de pain à l'ail et de quartiers de citron.

1 Avec un couteau pointu, faites une croix sur chaque tomate, puis plongez-les 30 s dans une jatte d'eau bouillante. Les peaux s'enlèveront facilement. Retirez le cœur de chaque tomate et hachez la chair.

Salade thaïlandaise de fruits et de légumes

*Cette salade rafraîchissante
est servie avec une sauce à
la noix de coco très tonique.*

Pour 4 à 6 personnes

1 ananas

1 mangue pelée et débitée en tranches

1 pomme verte débitée en quartiers

6 lychees pelés et dénoyautés

115 g/4 oz de haricots verts équeutés
    et coupés en deux

1 oignon rouge de taille moyenne
    débité en lamelles

1 concombre émincé en rondelles

115 g/4 oz/½ tasse de soja

2 oignons nouveaux coupés en rondelles

1 tomate mûre coupée en quartiers

225 g/8 oz de feuilles de romaine

Pour la sauce à la noix de coco

30 ml/2 c. à soupe de crème de noix de coco

30 ml/2 c. à soupe de sucre en poudre

75 ml/5 c. à soupe/⅓ tasse
    d'eau bouillante

1,5 ml/¼ c. à thé de sauce au piment

15 ml/1 c. à soupe de nuoc-mâm

jus d'1 citron vert

1 Mettez la crème de noix de coco,
le sucre et l'eau bouillante dans
un bocal au couvercle vissable. Ajoutez la sauce au piment, le nuoc-mâm
et le jus de citron. Fermez et agitez.

2 Avec un couteau à dents, retirez les deux extrémités de
l'ananas et épluchez-le. Retirez le
cœur à l'aide d'un vide-pomme.

3 Vous pouvez aussi couper
l'ananas en quartiers, en partant du centre, puis ôter le cœur
à l'aide d'un couteau. Taillez grossièrement les quartiers et réservez
avec les autres fruits.

4 Faites bouillir de l'eau salée
dans une casserole et mettez
les haricots verts à blanchir 3 à
4 min. Passez-les à l'eau froide et
réservez. Pour servir, dressez les
fruits et les légumes dans un saladier peu profond. Servez la sauce
à la noix de coco séparément pour
y tremper les fruits et les légumes.

Sauce au concombre

*Cette sauce légère calme le feu
de la cuisine thaïlandaise,
souvent très pimentée.*

Pour 120ml/4 oz/½ tasse de sauce

¼ de concombre

2 échalotes ou 1 petit oignon rouge

75 ml/5 c. à soupe d'eau

30 ml/2 c. à soupe de sucre en poudre

2,5 ml/½ c. à thé de sel

15 ml/1 c. à soupe de vinaigre d'alcool
    de riz ou de vin blanc

1 Avec un bon couteau, coupez
le morceau de concombre en
fines rondelles, puis en quartiers.
Procédez de même avec les échalotes ou l'oignon rouge.

2 Versez l'eau, le sucre, le sel et
le vinaigre dans une casserole
en acier inoxydable ou en émail.
Portez à ébullition, puis faites
mijoter jusqu'à ce que le sucre se
dissolve (moins d'1 min).

3 Laissez refroidir. Ajoutez les
quartiers de concombre et les
échalotes ou l'oignon. Servez la sauce
à température ambiante.

Salade tricolore

*Cette salade peut constituer
un simple hors-d'œuvre ou
faire partie d'un buffet léger.
Les tomates, légèrement salées,
sont naturellement savoureuses
et se passent d'assaisonnement.*

INGRÉDIENTS

Pour 4 à 6 personnes

1 petit oignon coupé en fines rondelles
6 grosses tomates bien mûres
huile d'olive extra-vierge
 pour l'assaisonnement
50 g/2 oz de feuilles de roquette
 ou de cresson préparées
175 g/6 oz de mozzarella coupée
 en fines tranches ou râpée
30 ml/2 c. à soupe de pignons (facultatif)
sel et poivre noir moulu

1 Faites tremper les rondelles d'oignon 30 min dans un bol d'eau froide, puis égouttez-les et essuyez. Pour peler les tomates plus facilement, incisez la peau de chacune d'entre elles en croix, avec la pointe d'un couteau, puis plongez-les 30 s dans de l'eau bouillante.

2 Coupez les tomates en rondelles et disposez-les sur un plat ou sur plusieurs assiettes.

3 Arrosez-les d'huile d'olive, puis disposez en différentes couches la roquette ou le cresson, les rondelles d'oignon et la mozzarella. Salez et poivrez entre les couches. Arrosez de nouveau d'huile d'olive.

4 Salez et poivrez, puis complétez avec un peu d'huile et, éventuellement, une bonne quantité de pignons. Couvrez la salade et laissez au réfrigérateur au moins 2 h avant de servir.

Salade toscane de haricots au thon

*Cette salade nourrissante peut
se préparer en un rien de temps
avec des produits de base. Elle
constitue un véritable repas.*

INGRÉDIENTS

Pour 4 personnes

400 g/14 oz de haricots rouges en conserve

400 g/14 oz de flageolets en conserve

225 g/8 oz de thon à l'huile en conserve,
   légèrement émietté

1 oignon rouge

30 ml/2 c. à soupe de moutarde douce

300 ml/½ pinte/1¼ tasses d'huile d'olive

60 ml/4 c. à soupe de vinaigre de vin blanc

30 ml/2 c. à soupe de persil frais haché

30 ml/2 c. à soupe de ciboulette
   fraîche hachée

30 ml/2 c. à soupe d'estragon
   ou de cerfeuil frais haché

brins de ciboulette et d'estragon frais
   pour la décoration

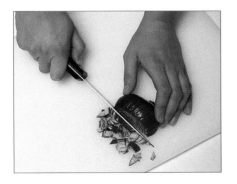

1 Hachez finement l'oignon avec un bon couteau.

2 Fouettez la moutarde, l'huile, le vinaigre, le persil, la ciboulette et l'estragon ou le cerfeuil dans un bol.

3 Égouttez les haricots rouges et les flageolets dans une passoire, puis rincez-les à l'eau froide.

4 Mélangez bien l'oignon haché, les haricots et l'assaisonnement, puis incorporez délicatement le thon. Décorez de brins de ciboulette et d'estragon, puis servez.

Roquette aux poires et au parmesan

Accompagnées de poires fondantes et de parmesan frais, les feuilles de roquette, très parfumées, font une entrée raffinée pour un déjeuner.

INGRÉDIENTS

Pour 4 personnes

115 g/4 oz de feuilles de roquette

3 poires mûres (williams ou packhams)

10 ml/2 c. à thé de jus de citron

45 ml/3 c. à soupe d'huile de noisettes
   ou de noix

75 g/3 oz de parmesan débité en lamelles

poivre noir moulu

2 Mélangez l'huile de noisettes ou de noix et les poires. Ajoutez les feuilles de roquette et remuez.

3 Répartissez la salade entre quatre assiettes, puis recouvrez de lamelles de parmesan. Poivrez et servez aussitôt.

1 Pelez les poires, ôtez les cœurs, puis coupez-les en tranches épaisses. Arrosez de jus de citron afin d'empêcher la chair de s'oxyder.

CONSEIL

Grâce à sa saveur très délicate, le parmesan est délicieux dans les salades. Achetez un morceau de fromage entier et coupez-en de fines lamelles à l'aide d'un économe. Conservez le parmesan restant, à découvert, au réfrigérateur.

Salade de tomates à la feta

Les tomates mûries au soleil sont particulièrement savoureuses avec de la feta et de l'huile d'olive.

INGRÉDIENTS

Pour 4 personnes

900 g/2 lb de tomates
200 g/7 oz de feta
120 ml/4 oz/½ tasse d'huile d'olive
12 olives noires
4 brins de basilic frais
poivre noir moulu

2 Coupez les tomates en rondelles épaisses, puis disposez-les harmonieusement sur un plat peu profond.

3 Émiettez la feta sur les tomates, arrosez d'huile, puis ajoutez les olives et les brins de basilic. Salez et poivrez selon votre goût, et servez à température ambiante.

1 Retirez le cœur des tomates à l'aide d'un couteau bien aiguisé.

CONSEIL

La feta a un goût prononcé, qui peut être très salé. Les variétés les plus douces viennent de Grèce et de Turquie. Vous les trouverez dans les magasins spécialisés.

LES SALADES
D'ACCOMPAGNEMENT

Simple salade cuite

Cette version d'une recette méditerranéenne très répandue est composée de légumes attendris par une courte cuisson.

Pour 4 personnes

2 tomates bien mûres coupées en quartiers

2 oignons hachés

½ concombre coupé en deux dans le sens de la longueur, épépiné et débité en rondelles

1 poivron vert coupé en deux, épépiné et haché

Pour l'assaisonnement

30 ml/2 c. à soupe de jus de citron

45 ml/3 c. à soupe d'huile d'olive

2 gousses d'ail écrasées

30 ml/2 c. à soupe de coriandre fraîche hachée

sel et poivre noir moulu

1 Mettez les tomates, les oignons, le concombre et le poivron dans une casserole, ajoutez 60 ml/4 c. à soupe d'eau. Faites cuire 5 min. Laissez refroidir.

2 Mélangez le jus de citron, l'huile d'olive et l'ail. Égouttez les légumes, puis mettez-les dans un saladier. Versez l'assaisonnement, salez et poivrez, et incorporez la coriandre hachée en remuant. Servez cette salade immédiatement, décorée de brins de coriandre.

Salade aigre-douce d'artichauts

Une sauce aigre-douce relève délicatement cette savoureuse salade aux légumes d'été, cuits al dente.

INGRÉDIENTS

Pour 4 personnes

6 petits artichauts

jus d'1 citron

30 ml/2 c. à soupe d'huile d'olive

2 oignons moyens grossièrement hachés

175 g/6 oz/1½ tasses de fèves fraîches ou surgelées, écossées

175 g/6 oz/1½ tasses de petits pois frais ou surgelés, écossés

sel et poivre noir moulu

feuilles de menthe fraîche pour la décoration

Pour la sauce aigre-douce

120 ml/4 oz/½ tasse de vinaigre de vin blanc

15 ml/1 c. à soupe de sucre en poudre

1 poignée de feuilles de menthe fraîche, grossièrement émincées

1 Ôtez les feuilles extérieures des artichauts. Coupez les artichauts en quartiers et mettez-les dans une jatte d'eau avec le jus de citron.

2 Chauffez l'huile d'olive dans une casserole et faites blondir les oignons. Ajoutez les fèves et remuez. Égouttez les artichauts et mettez-les dans la casserole. Versez environ 300 ml/½ pinte/1¼ tasses d'eau et laissez cuire, à couvert, 10 à 15 min.

3 Incorporez les petits pois, salez et poivrez. Faites cuire 5 min, en remuant de temps en temps, jusqu'à ce que les légumes soient tendres. Égouttez dans une passoire et mettez les légumes dans un plat. Laissez refroidir, puis couvrez et placez au réfrigérateur.

4 Pour la sauce aigre-douce, mélangez tous les ingrédients dans une casserole. Chauffez doucement 2 à 3 min jusqu'à ce que le sucre ait fondu. Faites mijoter environ 5 min en tournant de temps en temps. Laissez refroidir. Pour servir, versez la sauce sur les légumes et décorez de feuilles de menthe.

Tomates et haricots verts à la sarriette

La sarriette et les haricots verts se marient à merveille dans cette salade de tomates qui accompagne particulièrement bien de la viande froide.

INGRÉDIENTS

Pour 4 personnes
450 g/1 lb de haricots verts
1 kg/2¼ lb de tomates mûres
4 brins de sarriette fraîche
3 oignons nouveaux coupés en rondelles
15 ml/1 c. à soupe de pignons

Pour l'assaisonnement
30 ml/2 c. à soupe d'huile d'olive
    extra-vierge
jus d'1 citron vert
75 g/3 oz de bleu ou de gorgonzola
1 gousse d'ail écrasée
sel et poivre noir moulu

1 Préparez d'abord l'assaisonnement de façon à pouvoir le laisser reposer avant de servir. Mixez tous les ingrédients jusqu'à ce que le fromage soit bien écrasé et le mélange homogène. Salez et poivrez. Versez dans un récipient.

2 Équeutez les haricots verts et faites-les cuire *al dente* dans l'eau salée.

3 Égouttez les haricots et passez-les sous le robinet d'eau froide. Égouttez de nouveau. Coupez les tomates en rondelles ou, si elles sont petites, en quartiers.

4 Mélangez les haricots verts, les tomates et les oignons nouveaux. Versez l'assaisonnement, ajoutez les pignons et parsemez de brins de sarriette. Servez.

Pâtissons à la grecque

Ce plat, généralement préparé avec des champignons, est tout aussi délicieux avec de petits pâtissons. Veillez à cuire les pâtissons jusqu'à ce qu'ils soient tendres afin qu'ils s'imprègnent de la marinade.

INGRÉDIENTS

Pour 4 personnes

175 g/6 oz de petits pâtissons

250 ml/8 oz/1 tasse de vin blanc

jus de 2 citrons

1 brin de thym frais

1 feuille de laurier et un peu
   pour la décoration

1 petit bouquet de cerfeuil frais émincé

1,5 ml/¼ c. à thé de graines
   de coriandre hachées

1,5 ml/¼ c. à thé de grains de poivre
   noir concassés

75 ml/5 c. à soupe d'huile d'olive

1 Ébouillantez les pâtissons 3 min, puis laissez-les refroidir dans de l'eau fraîche.

2 Mettez les autres ingrédients dans une casserole, ajoutez 150 ml/¼ pinte/⅔ tasse d'eau, et faites mijoter 10 min en couvrant. Ajoutez les pâtissons et faites cuire 10 min jusqu'à ce qu'ils soient tendres. Retirez-les avec une écumoire.

3 Réduisez le liquide en faisant bouillir 10 min à feu vif. Passez-le et versez sur les pâtissons. Laissez refroidir afin que les saveurs soient absorbées. Servez les pâtissons à la grecque froids, décorés de feuilles de laurier.

Salade de fèves à la feta

Ce mélange d'ingrédients frais est délicieux chaud ou froid, servi en hors-d'œuvre ou en accompagnement du plat principal.

INGRÉDIENTS

Pour 4 à 6 personnes

900 g/2 lb de fèves écossées ou 350 g/12 oz
    de fèves surgelées écossées

115 g/4 oz de feta ferme, coupée
    en gros morceaux

60 ml/4 c. à soupe d'huile d'olive

175 g/6 oz de tomates roma fraîches,
    coupées en deux ou en quartiers
    si elles sont grosses

4 gousses d'ail écrasées

45 ml/3 c. à soupe d'aneth frais haché

12 olives noires

sel et poivre noir moulu

aneth frais haché pour la décoration

1 Faites cuire les fèves à l'eau salée bouillante jusqu'à ce qu'elles soient tendres. Égouttez et réservez.

2 Pendant ce temps, chauffez l'huile d'olive dans une poêle à fond épais, puis mettez les tomates et l'ail. Faites cuire jusqu'à ce que les tomates commencent à changer de couleur.

3 Ajoutez la feta dans la poêle et remuez les ingrédients pendant 1 min. Mélangez avec les fèves, l'aneth, les olives, le sel et le poivre. Servez cette salade décorée avec de l'aneth haché.

CONSEIL

On trouve les petites tomates roma, fraîches ou en conserve, dans la plupart des supermarchés. Elles sont légèrement sucrées et, avec leur couleur rouge sombre et leur jolie forme, elles sont très décoratives dans les salades.

Salade de fromage de brebis aux raisins

De fines tranches de fromage de brebis sont frites, puis mélangées à des raisins sucrés et juteux qui en complètent merveilleusement le goût.

INGRÉDIENTS

Pour 4 personnes

150 g/5 oz d'un mélange de feuilles
    de différentes variétés de salades

75 g/3 oz de raisins verts sans pépins

75 g/3 oz de raisins noirs sans pépins

250 g/9 oz de fromage de brebis ferme
    et salé

45 ml/3 c. à soupe d'huile d'olive

jeunes feuilles de thym ou d'aneth frais
    pour la décoration

Pour l'assaisonnement

60 ml/4 c. à soupe d'huile d'olive

15 ml/1 c. à soupe de jus de citron

2,5 ml/½ c. à thé de sucre en poudre

15 ml/1 c. à soupe de thym ou d'aneth
    frais haché

sel et poivre noir moulu

1 Fouettez l'huile d'olive, le jus de citron et le sucre. Salez et poivrez. Incorporez le thym ou l'aneth haché, et réservez.

2 Mélangez les feuilles de salades avec les raisins verts et noirs, puis mettez dans un plat.

3 Coupez le fromage en fines tranches. Chauffez l'huile dans une poêle, puis mettez le fromage à rissoler brièvement, jusqu'à ce qu'il soit doré. À l'aide d'une spatule, retournez le fromage et saisissez-le de l'autre côté.

4 Disposez le fromage sur la salade. Ajoutez l'assaisonnement et décorez de brins de thym ou d'aneth frais.

Roquette au fromage de chèvre grillé

Achetez du fromage de chèvre en bûche ou de petits crottins d'environ 50 g/2 oz qui puissent être coupés en deux. Servez cette salade en hors-d'œuvre ou comme déjeuner léger.

INGRÉDIENTS

Pour 4 personnes

généreuses poignées de feuilles de roquette
115 g/4 oz de feuilles de chicorée frisée
225 g/8 oz de fromage de chèvre en bûche
15 ml/1 c. à soupe d'huile d'olive
15 ml/1 c. à soupe d'huile végétale
4 tranches de baguette

Pour l'assaisonnement
45 ml/3 c. à soupe d'huile de noix
15 ml/1 c. à soupe de jus de citron
sel et poivre noir moulu

Pour la sauce
45 ml/3 c. à soupe de confiture d'abricots
60 ml/4 c. à soupe de vin blanc
5 ml/1 c. à thé de moutarde de Dijon

1 Faites chauffer l'huile d'olive et l'huile végétale dans une poêle. Mettez les tranches de pain à revenir d'un côté seulement, jusqu'à ce qu'elles soient légèrement dorées. Laissez égoutter sur un plat garni de papier absorbant.

3 Mélangez l'huile de noix et le jus de citron. Salez et poivrez légèrement.

2 Pour la sauce, chauffez la confiture dans une casserole sans la laisser bouillir. Passez-la dans un tamis placé sur une autre casserole, en écrasant les morceaux de fruits. Ajoutez le vin blanc et la moutarde. Chauffez à feu doux et gardez au chaud jusqu'au moment de servir.

4 Préchauffez le gril quelques minutes avant de servir la salade. Coupez le fromage de chèvre en rondelles de 50 g/2 oz et mettez chaque morceau sur une tranche de pain, côté non grillé vers le haut. Faites chauffer 3 à 4 min sous le gril jusqu'à ce que le fromage fonde.

5 Mélangez les feuilles de chicorée frisée et de roquette avec l'assaisonnement à l'huile de noix. Disposez sur quatre assiettes individuelles. Quand le pain grillé au fromage est prêt, posez une tranche sur chaque assiette. Arrosez d'un peu de sauce à l'abricot et servez.

Salade russe

*La salade russe devint un plat
à la mode dans les restaurants
des grands hôtels, dans les années
vingt et trente. À l'origine, elle se
composait de légumes cuits
al dente, d'œufs, de coquillages
et de mayonnaise. Aujourd'hui,
on en trouve de la toute prête
dans les supermarchés et chez
les traiteurs. La recette proposée
rappelle les temps anciens, plus
prestigieux, et évoque les œufs
de Fabergé, célèbre orfèvre russe.*

INGRÉDIENTS

Pour 4 personnes

115 g/4 oz de girolles
120 ml/4 oz/½ tasse de mayonnaise
15 ml/1 c. à soupe de jus de citron
350 g/12 oz de crevettes roses,
   cuites et décortiquées
1 gros cornichon haché
   ou 30 ml/2 c. à soupe de câpres
115 g/4 oz de fèves écossées
115 g/4 oz de pommes de terre
   nouvelles épluchées
115 g/4 oz de carottes nouvelles pelées
115 g/4 oz d'épis de maïs nains
115 g/4 oz de navets nains pelés
15 ml/1 c. à soupe d'huile d'olive
4 œufs durs
25 g/1 oz de filets d'anchois en conserve,
   sans leur huile et débités en fines lamelles
paprika en poudre
sel et poivre noir moulu

1 Coupez les girolles en fines
rondelles, puis en allumettes.
Dans une jatte, mélangez la mayonnaise et le jus de citron, puis incorporez les girolles. Ajoutez les crevettes et le cornichon ou les câpres.
Salez, poivrez.

2 Portez à ébullition de l'eau salée
dans une casserole. Mettez les
fèves à cuire 3 min. Égouttez-les et
passez-les sous l'eau du robinet
pour les refroidir. Pincez les fèves
entre le pouce et l'index pour les
extraire de leur peau.

3 Faites bouillir les pommes de
terre environ 15 min et le reste
des légumes 6 min. Égouttez et
laissez refroidir sous l'eau du robinet. Arrosez les légumes d'huile et
répartissez-les dans quatre assiettes
peu profondes.

4 Disposez le mélange à base de
crevettes dessus et placez 1 œuf
dur au centre. Décorez l'œuf avec
des lamelles d'anchois, saupoudrez
de paprika et servez.

Salade d'œufs pochés et de croûtons à l'ail

Les œufs, les croûtons et des feuilles constituent un mélange exquis.

Pour 2 personnes

2 œufs

½ pain de mie

75 ml/5 c. à soupe/⅓ tasse d'huile d'olive
  extra-vierge

115 g/4 oz de mélange de feuilles
  de plusieurs variétés de laitues

2 gousses d'ail écrasées

7,5 ml/½ c. à soupe de vinaigre de vin blanc

25 g/1 oz de parmesan

poivre noir moulu

1 Enlevez la croûte du pain, puis coupez la mie en dés de 2,5 cm/1 po.

2 Chauffez 30 ml/2 c. à soupe d'huile dans une poêle. Faites revenir les croûtons environ 5 min, en les retournant de temps à autre jusqu'à ce qu'ils soient bien dorés.

3 Dans le même temps, faites bouillir une casserole d'eau. Pochez les œufs un par un 4 min à feu doux.

4 Répartissez les feuilles de laitues sur deux assiettes. Retirez les croûtons de la poêle et disposez-les sur la salade. Nettoyez la poêle avec du papier absorbant.

5 Chauffez le reste de l'huile dans la poêle. Ajoutez l'ail et le vinaigre, puis faites cuire environ 1 min à feu vif. Versez l'assaisonnement chaud sur la salade.

6 Placez 1 œuf poché sur chaque assiette de salade. Saupoudrez de parmesan et d'un peu de poivre noir. Servez aussitôt.

CONSEILS

Ajoutez un peu de vinaigre à l'eau avant de pocher les œufs. Cela aide à garder les blancs fermes.

Pour assurer une jolie forme aux œufs pochés, faites tourbillonner l'eau avec une cuillère avant d'y plonger les œufs.

Avant de servir, coupez le bord des œufs pour que la présentation soit plus esthétique.

Poivrons et tomates grillés

Cette savoureuse recette, à la merveilleuse dominante rouge, est à consommer à température ambiante accompagnée d'une salade verte croquante.

INGRÉDIENTS

Pour 4 personnes

3 poivrons rouges

6 grosses tomates roma

2,5 ml/½ c. à thé de piment rouge séché
   en poudre

1 oignon rouge débité en fines lamelles

zeste râpé et jus d'1 citron

45 ml/3 c. à soupe de persil plat
   frais haché

30 ml/2 c. à soupe d'huile d'olive
   extra-vierge

sel et poivre noir moulu

olives noires et vertes et persil haché
   pour la décoration

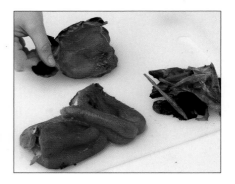

1 Préchauffez le four à 220 °C/ 425 °F. Mettez les poivrons sur une plaque de four et faites-les griller 10 min, en les retournant de temps à autre jusqu'à ce que les peaux soient presque noires. Ajoutez les tomates sur la plaque de four et faites griller 5 min.

2 Mettez les poivrons dans un sac en plastique résistant. Fermez le haut sans serrer, en emprisonnant la vapeur. Réservez avec les tomates jusqu'à ce qu'ils aient assez refroidi pour être tenus en main.

3 Pelez soigneusement les poivrons. Enlevez le cœur et les graines, puis hachez grossièrement les poivrons et les tomates. Mettez le tout dans une jatte.

4 Ajoutez le piment, l'oignon, l'ail, le zeste et le jus de citron. Saupoudrez de persil. Mélangez bien, puis dressez sur un plat. Salez et poivrez légèrement, arrosez d'un peu d'huile d'olive, et décorez avec les olives et quelques brins de persil. Servez à température ambiante.

Courgettes marinées

Ce plat, très simple à réaliser, est préparé avec de tendres courgettes printanières. Il peut être savouré chaud ou froid.

INGRÉDIENTS

Pour 4 personnes

4 jeunes courgettes

60 ml/4 c. à soupe d'huile d'olive
   extra-vierge

30 ml/2 c. à soupe de menthe
   fraîche hachée

30 ml/2 c. à soupe de vinaigre de vin blanc

sel et poivre noir moulu

feuilles de menthe fraîche
   pour la décoration

pain complet et olives vertes
   pour l'accompagnement

1 Coupez les courgettes en fines rondelles. Chauffez 30 ml/2 c. à soupe d'huile dans une sauteuse à fond épais. Faites revenir les courgettes 4 à 6 min, jusqu'à ce qu'elles soient tendres et dorées sur les bords. Placez-les dans une jatte. Salez, poivrez.

2 Mettez le reste de l'huile dans la sauteuse, puis ajoutez la menthe hachée et le vinaigre. Faites cuire à petits bouillons quelques secondes. Versez sur les courgettes. Laissez mariner 1 h, puis servez-les décorées de feuilles de menthe, avec du pain complet et des olives.

Salade de cocos et de poivrons rouges

Cette salade très appréciée, relevée avec du piment, est un véritable festival de textures et de couleurs.

Pour 4 personnes

350 g/12 oz de cocos cuits et coupés
   en morceaux

2 poivrons rouges égrenés et hachés

2 oignons nouveaux (avec les parties
   blanches et vertes) hachés

1 ou 2 piments confits dans du vinaigre,
   rincés, égrenés et hachés

1 laitue préparée ou 1 mélange de feuilles
   de plusieurs variétés de salades

olives vertes pour la décoration

Pour l'assaisonnement

45 ml/3 c. à soupe de vinaigre de vin rouge

135 ml/9 c. à soupe d'huile d'olive

sel et poivre noir moulu

1 Mélangez les cocos, les poivrons, les oignons nouveaux et les piments dans un saladier.

2 Mettez le vinaigre dans un bol. Salez et poivrez, puis ajoutez lentement l'huile d'olive en mélangeant bien le tout.

3 Versez l'assaisonnement sur les légumes préparés et remuez délicatement pour les imprégner.

4 Émincez en fines lamelles les feuilles de salades et disposez-les dans un plat. Ajoutez le mélange de légumes dessus. Décorez avec les olives et servez.

Salade de légumes verts

Ce plat peut être préparé toute l'année avec des légumes surgelés tout en restant savoureux.

INGRÉDIENTS

Pour 4 personnes

175 g/6 oz de fèves écossées

115 g/4 oz de haricots verts coupés
    en morceaux

115 g/4 oz de haricots mange-tout

8 à 10 feuilles de menthe fraîche

3 oignons nouveaux hachés

Pour l'assaisonnement

60 ml/4 c. à soupe d'huile d'olive verte

15 ml/1 c. à soupe de vinaigre de cidre

15 ml/1 c. à soupe de menthe fraîche
    ou séchée, hachée

1 gousse d'ail hachée

sel et poivre noir moulu

1 Mettez les fèves dans une casserole d'eau bouillante et portez à ébullition. Retirez immédiatement du feu et plongez-les dans l'eau froide. Égouttez-les. Procédez de même avec les haricots verts.

CONSEIL

Les fèves surgelées sont un bon substitut, mais il est toujours préférable d'utiliser des fèves fraîches, à la saveur si délicieuse.

2 Dans un saladier, mélangez les fèves, les haricots verts blanchis, les haricots mange-tout crus, les feuilles de menthe et les oignons nouveaux hachés.

3 Dans un bol, fouettez l'huile d'olive, le vinaigre, la menthe hachée, l'ail, le sel et le poivre. Versez cet assaisonnement sur la salade et remuez bien. Laissez refroidir jusqu'au moment de servir.

Salade de poireaux à l'œuf dur

Les poireaux sont particulièrement délicieux avec une sauce au persil, à l'huile d'olive et aux noix. Dégustez cette recette avec du poisson grillé ou poché et des pommes de terre nouvelles.

INGRÉDIENTS

Pour 4 personnes

675 g/1½ lb de jeunes poireaux

1 œuf

brins de persil frais pour la décoration

Pour l'assaisonnement

25 g/1 oz de persil frais

30 ml/2 c. à soupe d'huile d'olive

jus d' ½ citron

50 g/2 oz/½ tasse de noix grillées
   et émiettées

5 ml/1 c. à thé de sucre en poudre

sel et poivre noir moulu

1 Portez de l'eau salée à ébullition dans une casserole. Coupez les poireaux en tronçons de 10 cm/ 4 po de long. Rincez-les bien. Faites cuire 8 min. Égouttez et laissez tiédir.

2 Mettez l'œuf à cuire 12 min dans de l'eau bouillante. Rafraîchissez-le sous l'eau du robinet, écalez-le et réservez.

3 Pour l'assaisonnement, hachez finement le persil au mixer.

4 Ajoutez l'huile d'olive, le jus de citron et les noix grillées. Mixez 1 à 2 min jusqu'à ce que le mélange soit homogène.

5 Délayez la préparation avec environ 90 ml/6 c. à soupe d'eau. Ajoutez le sucre. Salez et poivrez selon votre goût.

6 Disposez les poireaux sur un plat, puis versez l'assaisonnement. Râpez finement l'œuf dur et parsemez-en la sauce. Décorez de brins de persil et servez les poireaux encore tièdes.

Salade hivernale de légumes

Cette simple salade se compose de poireaux, de chou-fleur et de céleri, parfumés avec du vin blanc, des herbes et des baies de genévrier.

INGRÉDIENTS

Pour 4 personnes

175 ml/6 oz/¾ tasse de vin blanc

5 ml/1 c. à thé d'huile d'olive

30 ml/2 c. à soupe de jus de citron

2 feuilles de laurier

1 brin de thym frais

4 baies de genévrier

450 g/1 lb de poireaux nettoyés et coupés
   en tronçons de 2,5 cm/1 po

1 petit chou-fleur avec les bouquets coupés

4 branches de céleri coupées en biais

30 ml/2 c. à soupe de persil frais haché

sel et poivre noir moulu

1 Mettez le vin, l'huile d'olive, le jus de citron, les feuilles de laurier, le thym et les baies de genévrier dans une sauteuse à fond épais, et portez à ébullition. Couvrez, puis laissez mijoter 20 min.

2 Ajoutez les poireaux, le chou-fleur et le céleri. Faites cuire 5 à 6 min, jusqu'à ce que les légumes soient tendres.

3 Retirez les légumes avec une écumoire et disposez-les dans un plat. Faites bouillir le liquide de cuisson 15 à 20 min, afin qu'il réduise de moitié, puis passez-le.

4 Incorporez le persil au liquide, salez et poivrez. Versez sur les légumes et laissez refroidir au moins 1 h au réfrigérateur avant de servir.

CONSEIL

Changez de légumes selon la saison.

Salade d'avocats et de poisson fumé

L'avocat et le poisson fumé se marient très bien. Ce plat, parfumé avec des herbes et des épices, est succulent.

Pour 4 personnes

2 avocats

1/2 concombre

15 ml/1 c. à soupe de jus de citron

2 tomates fermes

1 piment vert

sel et poivre noir moulu

Pour le poisson

15 g/1/2 oz/1 c. à soupe de beurre ou de margarine

1/2 oignon coupé en fines rondelles

5 ml/1 c. à thé de graines de moutarde

225 g/8 oz de maquereau fumé émietté

15 ml/1 c. à soupe de jus de citron

2 tomates fermes pelées et hachées

30 ml/2 c. à soupe de feuilles de coriandre fraîche hachées

1 Chauffez le beurre ou la margarine dans une poêle, puis ajoutez l'oignon et les graines de moutarde. Faites rissoler environ 5 min, afin que l'oignon ramollisse.

2 Mettez le maquereau, le jus de citron, les tomates et la coriandre à revenir 2 à 3 min à feu doux. Retirez du feu et laissez refroidir.

3 Pour la salade, émincez les avocats et le concombre. Placez-les dans une jatte et arrosez de jus de citron. Coupez les tomates en rondelles et enlevez les pépins. Hachez finement le piment.

4 Au centre d'un plat, dressez le mélange à base de poisson. Disposez harmonieusement les avocats, le concombre et les tomates en couronne.

5 Vous pouvez également répartir équitablement dans quatre assiettes le mélange à base de poisson, ainsi que les avocats, les tomates et le concombre. Saupoudrez de piment haché, salez et poivrez légèrement avant de servir.

VARIANTE

Il est possible de préparer cette recette avec du haddock ou de la morue fumée, ou bien un mélange de maquereau et de haddock.

Salade de tomates et de pain

Cette salade, à base de tomates très juteuses, mûries au soleil, est exquise. Elle est également économique, car elle se prépare avec du pain rassis.

INGRÉDIENTS

Pour 4 personnes

400 g/14 oz de pain blanc ou bis, rassis
4 grosses tomates
1 gros oignon rouge ou 6 oignons nouveaux
quelques feuilles de basilic
    pour la décoration

Pour l'assaisonnement
60 ml/4 c. à soupe d'huile d'olive
    extra-vierge
30 ml/2 c. à soupe de vinaigre de vin blanc
sel et poivre noir moulu

1 Débitez le pain en tranches épaisses. Mettez dans une jatte peu profonde et laissez tremper au moins 30 min dans de l'eau froide.

2 Coupez les tomates en gros morceaux et disposez-les dans un plat. Détaillez l'oignon ou les oignons nouveaux en fines rondelles et ajoutez-les aux tomates. Essorez le pain pour en faire sortir le plus d'eau possible et incorporez-le aux légumes.

3 Mélangez l'huile et le vinaigre. Salez et poivrez, versez sur la salade et remuez bien. Décorez de feuilles de basilic. Laissez reposer au moins 2 h dans un endroit frais avant de servir.

Salade de poivrons grillés

L'idéal serait de confectionner ce plat avec un mélange de poivrons rouges et jaunes, tant pour leurs belles couleurs que pour leur douceur savoureuse.

INGRÉDIENTS

Pour 6 personnes

4 gros poivrons rouges ou jaunes
    ou un mélange des 2 variétés
30 ml/2 c. à soupe de câpres rincées
18 à 20 olives noires ou vertes

Pour l'assaisonnement
90 ml/6 c. à soupe d'huile d'olive
    extra-vierge
2 gousses d'ail écrasées
30 ml/2 c. à soupe de vinaigre balsamique
    ou de vinaigre de vin
sel et poivre noir moulu

1 Placez les poivrons sous un gril chaud et retournez-les de temps en temps jusqu'à ce qu'ils soient noirs et craquelés de tous les côtés. Sortez-les du four, mettez-les dans un sac en plastique résistant et fermez le haut sans serrer. Réservez jusqu'à ce qu'ils soient assez froids pour pouvoir les tenir. Pelez soigneusement les poivrons, puis coupez-les en quartiers. Enlevez les tiges et les graines.

2 Taillez les poivrons en lamelles et disposez-les sur un plat. Répartissez les câpres et les olives de façon égale sur les poivrons.

3 Mélangez l'huile et l'ail dans un bol, en écrasant l'ail avec une cuillère afin d'en exalter le goût. Incorporez le vinaigre, salez et poivrez. Versez sur la salade, mélangez bien et laissez reposer au moins 30 min avant de servir.

Salade de chicorée frisée au bacon

Cette délicieuse salade peut aussi être saupoudrée d'œuf dur haché.

INGRÉDIENTS

Pour 4 personnes

225 g/8 oz de chicorée frisée
    ou de feuilles de scarole

175 g/6 oz de bacon fumé, coupé en dés
    ou 6 tranches épaisses coupées en biais
    en fines lamelles

50 g/2 oz de pain blanc

75 à 90 ml/5 à 6 c. à soupe d'huile d'olive
    extra-vierge

1 gousse d'ail écrasée

15 ml/1 c. à soupe de vinaigre balsamique

10 ml/2 c. à thé de moutarde de Dijon

sel et poivre noir moulu

1 Coupez le pain en dés. Préparez la chicorée ou la scarole et disposez-la dans un saladier.

2 Chauffez à feu moyen 15 ml/1 c. à soupe d'huile d'olive dans une poêle anti-adhésive. Mettez le bacon à dorer en le retournant de temps en temps. Retirez le bacon avec une écumoire et égouttez-le sur du papier absorbant.

3 Ajoutez à la poêle 30 ml/2 c. à soupe d'huile et faites dorer les croûtons à feu moyen, en les retournant fréquemment. Sortez les croûtons avec une écumoire et égouttez-les sur du papier absorbant. Jetez toute la graisse restante.

4 Mettez l'ail, le vinaigre et la moutarde dans la poêle avec le reste de l'huile et chauffez en fouettant. Salez et poivrez selon votre goût, puis versez sur la salade. Parsemez de bacon frit et de croûtons chauds. Servez aussitôt.

Salade d'asperges et d'oranges

Cette association rare s'accommode avec une vinaigrette, à base d'huile d'excellente qualité.

INGRÉDIENTS

Pour 4 personnes

225 g/8 oz d'asperges équeutées
   et coupées en tronçons de 5 cm/2 po
2 oranges
2 tomates parfumées coupées en quartiers
50 g/2 oz de feuilles de romaine
30 ml/2 c. à soupe d'huile d'olive
   extra-vierge
2,5 ml/½ c. à thé de vinaigre de xérès
sel et poivre noir moulu

1 Faites cuire les asperges dans de l'eau salée bouillante, 3 à 4 min, jusqu'à ce qu'elles soient tendres. Le temps de cuisson peut varier selon la taille de leur tige. Égouttez et passez-les à l'eau froide, puis laissez refroidir et réservez.

2 Râpez le zeste d' ½ orange et réservez-le. Pelez les 2 oranges et coupez-les en quartiers. Exprimez le jus et réservez-le.

3 Mettez les asperges, les quartiers d'oranges, les tomates et la romaine dans un saladier.

4 Mélangez l'huile et le vinaigre. Ajoutez 15 ml/1 c. à soupe du jus d'orange et 5 ml/1 c. à thé de zeste râpé. Salez et poivrez. Juste avant de servir, versez la vinaigrette sur la salade et remuez bien afin d'imprégner tous les ingrédients.

Œufs durs à la mayonnaise au thon

Ces œufs durs, nappés d'une savoureuse mayonnaise au thon, constituent une entrée nourrissante et rapide à préparer.

INGRÉDIENTS

Pour 6 personnes

6 très gros œufs

200 g/7 oz de thon à l'huile d'olive
    en conserve

3 filets d'anchois en conserve

15 ml/1 c. à soupe de câpres égouttées

30 ml/2 c. à soupe de jus de citron

60 ml/4 c. à soupe d'huile d'olive
    extra-vierge

sel et poivre noir moulu

câpres et filets d'anchois
    pour la décoration

Pour la mayonnaise

1 jaune d'œuf

5 ml/1 c. à thé de moutarde de Dijon

5 ml/1 c. à thé de vinaigre de vin blanc
    ou de jus de citron

150 ml/¼ pinte/⅔ tasse d'huile d'olive

1 Faites bouillir les œufs 12 à 14 min. Passez-les sous l'eau froide. Écalez-les et réservez.

2 Pour la mayonnaise, fouettez au batteur électrique le jaune d'œuf, la moutarde et le vinaigre ou le jus de citron dans une jatte.

3 En continuant de battre, ajoutez l'huile – quelques gouttes à la fois – jusqu'à ce que 3 à 4 cuillerées à soupe aient été incorporées. Versez lentement le reste de l'huile en fouettant constamment.

4 Mélangez le thon et son huile, les anchois, les câpres, le jus de citron et l'huile d'olive jusqu'à obtenir une préparation homogène.

5 Incorporez ce mélange à la mayonnaise. Salez et poivrez éventuellement. Laissez refroidir au moins 1 h.

6 Coupez les œufs en deux dans le sens de la longueur. Disposez-les sur un plat et nappez-les de mayonnaise au thon. Décorez de câpres et de filets d'anchois. Servez bien frais.

Salade de fonds d'artichauts et d'œufs

Les fonds d'artichauts sont plus savoureux s'ils sont frais mais vous pouvez aussi les acheter surgelés. Cette salade, facile à réaliser, constitue un déjeuner léger.

INGRÉDIENTS

Pour 4 personnes

4 gros artichauts
   ou 4 fonds d'artichauts surgelés
4 œufs durs
½ citron
brins de persil frais pour la décoration

Pour la mayonnaise

1 jaune d'œuf
10 ml/2 c. à thé de moutarde de Dijon
15 ml/1 c. à soupe de vinaigre de vin blanc
250 ml/8 oz/1 tasse d'huile d'olive ou
   d'huile végétale
30 ml/2 c. à soupe de persil frais haché
sel et poivre noir moulu

1 Si vous utilisez des artichauts frais, lavez-les. Pressez le ½ citron, et mettez le jus et la moitié pressée dans une jatte d'eau froide.

2 Préparez les artichauts l'un après l'autre. Coupez l'extrémité de la queue. À l'aide d'un couteau, épluchez la queue vers les feuilles. Enlevez les feuilles situées autour de la tige et continuez à retirer la partie supérieure des feuilles extérieures sombres jusqu'aux feuilles intérieures plus hautes. Coupez le haut des feuilles avec un bon couteau. Mettez l'artichaut dans l'eau citronnée. Procédez de même avec chaque artichaut.

3 Faites bouillir ou cuisez à la vapeur les artichauts frais jusqu'à ce qu'ils soient tendres (si vous tirez sur une feuille, elle doit se détacher facilement). Préparez les fonds d'artichauts surgelés en suivant les indications inscrites sur le paquet. Laissez-les refroidir.

4 Pour la mayonnaise, travaillez le jaune d'œuf, la moutarde et le vinaigre dans un bol. Salez et poivrez. Ajoutez lentement l'huile en fouettant vigoureusement à l'aide d'un fouet métallique. Quand le mélange est épais et homogène, incorporez le persil haché. Remuez bien. Couvrez et réservez, éventuellement au réfrigérateur.

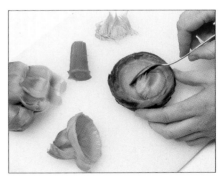

5 Dans le cas d'artichauts frais, arrachez les feuilles. Coupez la queue à la base, retirez le foin avec un couteau ou une cuillère.

6 Coupez les œufs et les fonds d'artichauts en quartiers. Disposez-les sur un plat, garnissez de mayonnaise, décorez de brins de persil et servez.

Panzanella

Dans cette salade, un mélange goûteux de tomates, d'huile d'olive et de vinaigre de vin rouge est équilibré par la présence inattendue de poivrons et de croûtons grillés.

INGRÉDIENTS

Pour 4 à 6 personnes

225 g/8 oz de pain de campagne
   (environ ½ miche)
150 ml/¼ pinte/⅔ tasse d'huile d'olive
3 poivrons rouges
3 poivrons jaunes
50 g/2 oz de filets d'anchois en conserve,
   sans leur huile
675 g/1½ lb de tomates roma mûres
4 gousses d'ail écrasées
60 ml/4 c. à soupe de vinaigre de vin rouge
50 g/2 oz de câpres
115 g/4 oz/1 tasse d'olives noires
   dénoyautées
sel et poivre noir moulu
feuilles de basilic frais pour la décoration

1 Préchauffez le four à 200 °C/ 400 °F. Coupez le pain de campagne en dés de 2 cm/¾ po et arrosez-les de 50 ml/2 oz/¼ tasse d'huile. Faites légèrement dorer au four.

2 Disposez les poivrons sur un plat allant au four, couvrez de papier d'aluminium et enfournez. Faites cuire environ 45 min jusqu'à ce que les peaux commencent à noircir. Retirez les poivrons du four, mettez-les dans un sac résistant en plastique, fermez l'extrémité et laissez légèrement refroidir.

3 Pelez les poivrons et coupez-les en quartiers, en ôtant les queues et les pépins. Hachez grossièrement les anchois et réservez.

4 Pelez les tomates et coupez-les en quartiers. Mettez la pulpe avec les graines dans un tamis au-dessus d'un bol. Avec le dos d'une cuillère, pressez la pulpe des tomates dans le tamis pour en extraire tout le jus possible. Jetez la pulpe, puis ajoutez au jus des tomates le reste de l'huile, l'ail et le vinaigre.

5 Dans un saladier, disposez les croûtons de pain, les poivrons grillés, les tomates, les anchois, les câpres et les olives en couches. Salez et poivrez la vinaigrette à base de jus de tomates, et versez-la sur la salade. Laissez reposer environ 30 min. Servez cette salade décorée de nombreuses feuilles de basilic.

Chicorée et topinambours aux noix

Le goût particulier, très subtil, des topinambours contraste délicatement avec la fraîcheur un peu amère de la chicorée de Trévise et du citron. Servez cette salade chaude ou froide avec des steaks grillés ou de la viande cuite au barbecue.

INGRÉDIENTS

Pour 4 personnes

1 chicorée de Trévise
500 g/1¼ lb de topinambours
40 g/1½ oz/⅓ tasse de cerneaux de noix
45 ml/3 c. à soupe d'huile de noix
1 zeste de citron émincé en lamelles
   et jus d'1 citron
gros sel marin et poivre noir moulu
feuilles de persil plat frais
   pour la décoration

1 Lavez et égouttez la chicorée de Trévise. Coupez les feuilles et disposez-les dans un plat allant au four. Parsemez de noix, puis versez l'huile. Salez et poivrez. Passez sous le gril du four 2 à 3 min.

2 Épluchez les topinambours et coupez éventuellement ceux qui sont trop gros en morceaux de taille moyenne. Mettez-les dans une casserole d'eau bouillante salée avec la moitié du jus de citron et faites cuire 5 à 7 min jusqu'à ce qu'ils soient tendres. Égouttez-les. Préchauffez le gril du four.

3 Incorporez les topinambours à la salade avec le reste du jus de citron et le zeste. Passez sous le gril jusqu'à ce que le tout dore légèrement. Servez immédiatement en décorant de feuilles de persil.

Salade d'œufs au bacon et aux avocats

Ce superbe mélange de couleurs, de saveurs et de textures réjouira autant l'œil que le palais.

INGRÉDIENTS

Pour 4 personnes

1 grosse romaine

8 tranches de bacon frites jusqu'à ce qu'elles soient croquantes

6 œufs durs hachés

2 gros avocats pelés et débités en dés

2 grosses tomates mondées, épépinées et hachées

175 g/6 oz de roquefort ou de bleu émietté

Pour l'assaisonnement

1 gousse d'ail écrasée

5 ml/1 c. à thé de sucre en poudre

7,5 ml/1½ c. à thé de jus de citron

25 ml/1½ c. à soupe de vinaigre de vin blanc

120 ml/4 oz/½ tasse d'huile d'arachide

sel et poivre noir moulu

1 Coupez la romaine en morceaux dans le travers des feuilles. Émiettez les tranches de bacon frit.

2 Mélangez tous les ingrédients de l'assaisonnement dans un bocal dont le couvercle se visse. Fermez le bocal et agitez fortement. Sur un plat rectangulaire ou ovale, formez un lit de romaine.

3 Disposez harmonieusement les avocats, les œufs, les tomates et le fromage sur la romaine. Parsemez de bacon.

4 Versez délicatement et régulièrement la vinaigrette sur la salade avant de servir.

Salade pimentée de maïs doux

Cette salade, à la fois tonique et douce, est servie chaude, avec un délicieux assaisonnement épicé.

INGRÉDIENTS

Pour 4 personnes

450 g/1 lb de maïs doux en conserve égoutté ou de maïs surgelé et décongelé

30 ml/2 c. à soupe d'huile végétale

1 poivron vert égrené, taillé en dés

1 petit piment rouge égrené, coupé en dés

4 oignons nouveaux débités en lamelles

45 ml/3 c. à soupe de persil finement haché

225 g/8 oz de tomates cerises coupées en deux

sel et poivre noir moulu

Pour l'assaisonnement

2,5 ml/½ c. à thé de sucre en poudre

30 ml/2 c. à soupe de vinaigre de vin blanc

2,5 ml/½ c. à thé de moutarde de Dijon

15 ml/1 c. à soupe de basilic frais haché

15 ml/1 c. à soupe de mayonnaise

1,5 ml/¼ c. à thé de sauce au piment

1 Faites chauffer l'huile dans une poêle. Ajoutez le maïs, le poivron vert, le piment et les oignons nouveaux. Laissez cuire environ 5 min à feu doux, en tournant fréquemment jusqu'à ce que le tout s'attendrisse.

2 Transférez les légumes dans un saladier. Ajoutez le persil et les tomates cerises, et mélangez.

3 Mettez tous les ingrédients de l'assaisonnement dans un bol et fouettez énergiquement.

4 Versez l'assaisonnement sur le mélange de légumes, salez et poivrez. Remuez bien et servez immédiatement, pendant que la salade est encore chaude.

Concombre au tofu et au soja

Cette salade est accompagnée d'une sauce relevée et aigre-douce.

INGRÉDIENTS

Pour 4 à 6 personnes

1 petit concombre

115 g/4 oz de tofu en bloc

huile pour la friture

115 g/4 oz/½ tasse de germes
   de soja coupés

sel

feuilles de céleri pour la décoration

Pour l'assaisonnement

1 petit oignon râpé

2 gousses d'ail écrasées

5 à 7,5 ml/1 à 1½ c. à thé de sauce
   au piment

30 à 45 ml/2 à 3 c. à soupe de sauce au soja

15 à 30 ml/1 à 2 c. à soupe de vinaigre
   d'alcool de riz

10 ml/2 c. à thé de sucre roux

1 Débitez le concombre en dés. Salez et laissez dégorger pendant que vous préparez les autres ingrédients.

CONSEIL

Cette salade nourrissante est idéale pour un buffet.

2 Coupez le tofu en dés. Chauffez un peu d'huile dans une poêle et faites dorer le tofu des deux côtés. Égouttez sur du papier absorbant.

3 Mélangez l'oignon, l'ail et la sauce au piment dans un bocal dont le couvercle se visse. Incorporez la sauce au soja, le vinaigre, le sucre et le sel. Fermez et agitez.

4 Juste avant de servir, rincez le concombre à l'eau froide. Égouttez et séchez-le. Mélangez le concombre, le tofu et le soja dans un saladier et versez l'assaisonnement. Décorez de feuilles de céleri et servez immédiatement.

Salade de bananes vertes et plantains

Faites cuire les bananes plantains et les bananes vertes dans leur peau afin qu'elles restent bien tendres : elles s'imprégneront alors de toute la saveur de l'assaisonnement.

INGRÉDIENTS

Pour 4 personnes

2 bananes plantains jaunes et fermes

3 bananes vertes

1 gousse d'ail écrasée

1 oignon rouge

45 ml/3 c. à soupe d'huile de tournesol

25 ml/1½ c. à soupe de vinaigre de malt

15 à 30 ml/1 à 2 c. à soupe
de coriandre fraîche

sel et poivre noir moulu

1 Fendez toutes les bananes dans le sens de la longueur, puis coupez-les en deux. Mettez-les dans une grande casserole.

2 Recouvrez d'eau, salez légèrement et faites bouillir 20 min à feu doux, afin que les bananes soient tendres. Retirez de l'eau. Quand elles ont assez refroidi pour pouvoir les tenir, pelez-les et coupez-les en rondelles de taille moyenne.

3 Mettez les rondelles de bananes dans un saladier et ajoutez l'ail. Tournez avec une cuillère en bois pour bien répartir l'ail.

4 Coupez l'oignon en deux, puis en fines lamelles. Ajoutez-les dans le saladier, ainsi que l'huile, le vinaigre, la coriandre, le sel et le poivre. Mélangez bien et servez.

Salade de haricots verts

Les haricots verts sont délicieux servis avec une simple vinaigrette. Ils sont relevés ici d'une pointe d'ail.

INGRÉDIENTS

Pour 4 personnes

450 g/1 lb de haricots verts

15 ml/1 c. à soupe d'huile d'olive

25 g/1 oz de beurre

½ gousse d'ail écrasée

50 g/2 oz/1 tasse de miettes de pain blanc frais

1 cuil. à soupe de persil frais haché

1 œuf dur finement haché

Pour l'assaisonnement

30 ml/2 c. à soupe d'huile d'olive

30 ml/2 c. à soupe d'huile de tournesol

10 ml/2 c. à thé de vinaigre de vin blanc

½ gousse d'ail écrasée

1,5 ml/¼ c. à thé de moutarde de Dijon

1 pincée de sucre en poudre

1 pincée de sel

1 Faites cuire les haricots verts 5 à 6 min dans de l'eau bouillante salée, afin qu'ils soient tendres. Égouttez, rafraîchissez-les sous l'eau du robinet, égouttez de nouveau et mettez dans un saladier.

2 Mélangez bien tous les ingrédients de l'assaisonnement. Versez sur les haricots verts et remuez.

3 Chauffez l'huile et le beurre dans une poêle et faites revenir l'ail 1 min. Ajoutez les miettes de pain et laissez dorer environ 3 à 4 min à feu moyen, en remuant fréquemment.

4 Retirez la poêle du feu, puis incorporez le persil et l'œuf dur. Saupoudrez les haricots verts avec le mélange à base de miettes de pain. Servez cette salade chaude ou à température ambiante.

Salade de pommes de terre aux œufs durs

Les pommes de terre sont savoureuses avec des œufs durs et un mélange de légumes. L'assaisonnement épicé donne un goût relevé à cette salade.

INGRÉDIENTS

Pour 6 personnes

450 g/1 lb de pommes de terre nouvelles

45 ml/3 c. à soupe de vinaigrette

3 oignons nouveaux hachés

6 œufs durs coupés en deux

feuilles de frisée

¼ de concombre émincé

6 gros radis émincés

1 botte de cresson

sel et poivre noir moulu

Pour l'assaisonnement

30 ml/2 c. à soupe d'huile d'olive

1 petit oignon haché

15 ml/1 c. à soupe de poudre de curry
   doux ou de curcuma

10 ml/2 c. à thé de purée de tomates

30 ml/2 c. à soupe de jus de citron

30 ml/2 c. à soupe de vinaigre de xérès

300 ml/½ pinte/1¼ tasses de mayonnaise

150 ml/¼ pinte/⅔ tasse de yaourt nature

1 Faites bouillir les pommes de terre dans de l'eau salée jusqu'à ce qu'elles soient tendres. Égouttez-les, mettez-les dans une jatte, puis versez la vinaigrette sur les pommes de terre, pendant qu'elles sont encore chaudes.

2 Ajoutez les oignons nouveaux, le sel et le poivre, puis laissez refroidir à température ambiante.

3 Pour l'assaisonnement, chauffez l'huile dans une poêle et mettez l'oignon à cuire 3 min, afin qu'il soit tendre. Saupoudrez de curry ou de curcuma, puis faites revenir 1 min. Retirez du feu et incorporez aux autres ingrédients de l'assaisonnement. Mélangez.

4 Versez l'assaisonnement sur les pommes de terre en remuant, ajoutez les œufs et mettez au réfrigérateur. Garnissez un plat de frisée et placez le mélange de pommes de terre et d'œufs au centre. Disposez sur le dessus le concombre, les radis et le cresson.

Salade de patate douce et de carottes

Cette salade au goût aigre-doux, contenant plusieurs ingrédients originaux, doit être servie chaude. Elle est agrémentée de cerneaux de noix, de raisins secs et de rondelles d'oignon.

INGRÉDIENTS

Pour 4 personnes

1 patate douce de taille moyenne
2 carottes coupées en rondelles épaisses
3 tomates moyennes
8 à 10 feuilles de laitue
75 g/3 oz/½ tasse de pois chiches en
   conserve égouttés

Pour l'assaisonnement
15 ml/1 c. à soupe de miel liquide
90 ml/6 c. à soupe de yaourt nature
2,5 ml/½ c. à thé de sel
5 ml/1 c. à thé de poivre noir moulu

Pour la décoration
15 ml/1 c. à soupe de noix
15 ml/1 c. à soupe de raisins secs
1 petit oignon coupé en rondelles

1 Épluchez la patate douce, puis coupez-la en dés. Cuisez-la dans de l'eau bouillante jusqu'à ce qu'elle soit tendre, puis couvrez la casserole et réservez.

2 Faites cuire les carottes à l'eau bouillante quelques minutes, en les gardant fermes. Ajoutez les carottes à la patate douce.

3 Égouttez la patate douce et les carottes, et mettez-les ensemble dans une jatte.

4 Coupez le chapeau des tomates et enlevez les pépins avec une cuillère. Hachez grossièrement la chair. Détaillez la laitue en fines lamelles dans le travers des feuilles.

5 Disposez les lamelles de laitue dans un saladier. Mélangez la patate douce, les carottes, les pois chiches et les tomates, et placez le tout au centre du saladier.

6 Avec une fourchette, battez tous les ingrédients de l'assaisonnement pour bien les mélanger.

7 Décorez la salade de noix, de raisins secs et de rondelles d'oignon. Versez l'assaisonnement sur le dessus juste avant de servir ou présentez-le dans un bol séparé.

CONSEIL

Cette salade constitue un excellent plat principal pour un déjeuner ou un dîner en famille. Servez avec du chutney de mangue sucré et des pitas tièdes.

Salades de pommes de terre chaude et froide

La salade de pommes de terre maison est souvent appréciée avec une mayonnaise onctueuse. Ces deux salades sont plus légères. La première doit être servie chaude; la seconde peut être préparée à l'avance et proposée froide.

INGRÉDIENTS

Pour 4 personnes

900 g/2 lb de pommes de terre nouvelles

5 ml/1 c. à thé de sel

poivre noir moulu

Pour l'assaisonnement de la salade chaude

30 ml/2 c. à soupe d'huile de noisettes ou de noix

60 ml/4 c. à soupe d'huile de tournesol

jus d'1 citron

15 pistaches

persil plat pour la décoration

Pour l'assaisonnement de la salade froide

75 ml/5 c. à soupe d'huile d'olive

10 ml/2 c. à thé de vinaigre de vin blanc

1 gousse d'ail écrasée

90 ml/6 c. à soupe de persil frais finement haché

2 gros oignons nouveaux finement hachés

1 Grattez les pommes de terre sans les peler. Recouvrez avec de l'eau froide et portez à ébullition. Salez et faites cuire environ 15 min, jusqu'à ce qu'elles soient tendres. Égouttez et réservez.

2 Pour la salade chaude, mélangez l'huile de noisettes ou de noix, l'huile de tournesol et le jus de citron. Salez et poivrez.

3 Hachez grossièrement les pistaches à l'aide d'un couteau.

4 Quand les pommes de terre ont tiédi, versez l'assaisonnement dessus et parsemez de morceaux de pistaches. Servez la salade décorée d'1 brin de persil.

5 Pour la salade froide, faites cuire les pommes de terre comme ci-dessus, puis égouttez et laissez-les complètement refroidir.

6 Fouettez l'huile, le vinaigre, l'ail, le persil, les oignons nouveaux et les autres condiments. Nappez-en les pommes de terre. Couvrez hermétiquement et gardez une nuit au réfrigérateur. Servez à température ambiante.

Salade de pommes de terre au citron

Les salades de pommes de terre accompagnent très bien de la viande froide ou du poisson. Cette recette joue sur les saveurs contrastées de l'œuf et du citron. Le persil haché ajoute une agréable note verte.

INGRÉDIENTS

Pour 4 personnes

900 g/2 lb de pommes de terre nouvelles

1 oignon moyen finement haché

1 œuf dur

zeste finement râpé et jus d'1 citron

300 ml/½ pinte/1¼ tasses de mayonnaise

1 gousse d'ail écrasée

60 ml/4 c. à soupe de persil frais haché

sel et poivre noir moulu

brin de persil frais pour la décoration

1 Grattez les pommes de terre, recouvrez-les d'eau froide et portez à ébullition. Salez et faites cuire 15 min, jusqu'à ce qu'elles soient tendres. Égouttez et laissez refroidir. Coupez les pommes de terre en gros dés, assaisonnez et mélangez avec l'oignon haché.

2 Écalez l'œuf dur, hachez-le et placez-le dans une jatte. Ajoutez la mayonnaise. Mélangez l'ail, le zeste et le jus de citron, et incorporez-les à la mayonnaise.

3 Remuez délicatement les dés de pommes de terre avec la mayonnaise, puis ajoutez le persil haché. Servez cette salade chaude ou froide, décorée d'1 brin de persil.

VARIANTE

La ciboulette fraîche peut parfaitement remplacer le persil.

Salade pimentée de pommes de terre

Cette salade est rapide à préparer.

INGRÉDIENTS

Pour 6 personnes

900 g/2 lb de pommes de terre

2 poivrons rouges

2 branches de céleri

1 échalote

2 ou 3 oignons nouveaux

1 piment vert

1 gousse d'ail écrasée

10 ml/2 c. à thé de ciboulette fraîche
    finement hachée

10 ml/2 c. à thé de basilic frais
    finement haché

15 ml/1 c. à soupe de persil frais
    finement haché

15 ml/1 c. à soupe de crème liquide

30 ml/2 c. à soupe de vinaigrette

15 ml/1 c. à soupe de mayonnaise

5 ml/1 c. à thé de moutarde douce

7,5 ml/1½ c. à thé de sucre en poudre

sel

ciboulette fraîche hachée
    pour la décoration

3 Fouettez la crème liquide, la vinaigrette, la mayonnaise, la moutarde et le sucre dans un bol, en un mélange homogène.

4 Versez l'assaisonnement sur la salade et remuez délicatement pour bien l'en imprégner. Servez-la décorée de ciboulette hachée.

1 Épluchez les pommes de terre. Faites-les bouillir 10 à 12 min dans de l'eau salée, afin qu'elles soient tendres. Égouttez et laissez refroidir, puis détaillez-les en dés et mettez dans une jatte.

2 Coupez les poivrons en deux, ôtez le cœur et les pépins, et débitez la chair en dés. Hachez finement le céleri, l'échalote et les oignons nouveaux, et émincez le piment en jetant les graines. Ajoutez les légumes, l'ail et les herbes aux pommes de terre.

Salade de pommes de terre et de saucisse

Dans cette salade nourrissante, on mouille les pommes de terre avec un peu de vin blanc avant d'ajouter la vinaigrette.

INGRÉDIENTS

Pour 4 personnes

450 g/1 lb de petites pommes de terre
175 g/6 oz de saucisse à l'ail cuite
30 à 45 ml/2 à 3 c. à soupe de vin blanc sec
2 échalotes finement hachées
15 ml/1 c. à soupe de persil frais haché
15 ml/1 c. à soupe d'estragon frais haché
brin de persil plat pour la décoration

Pour la vinaigrette

10 ml/2 c. à thé de moutarde de Dijon
15 ml/1 c. à soupe de vinaigre à l'estragon
   ou de vinaigre de vin blanc
75 ml/5 c. à soupe d'huile d'olive
   extra-vierge
sel et poivre noir moulu

1 Grattez les pommes de terre. Faites-les bouillir 10 à 12 min dans de l'eau salée, afin qu'elles soient tendres. Égouttez et laissez refroidir sous l'eau du robinet.

2 Épluchez les pommes de terre ou laissez-leur la peau, et coupez-les en rondelles de 5 mm/¼ po. Arrosez de vin et d'échalotes.

VARIANTE

Les pommes de terre ainsi relevées d'une simple vinaigrette et accompagnées de harengs marinés sont un véritable régal.

3 Pour la vinaigrette, mélangez la moutarde et le vinaigre dans un bol, puis incorporez l'huile peu à peu, en fouettant. Salez, poivrez et versez sur les pommes de terre.

4 Ajoutez les herbes et remuez bien la salade.

5 Coupez la saucisse à l'ail en fines tranches et mélangez-les avec les pommes de terre. Salez, poivrez, et servez la salade à température ambiante, décorée d'1 brin de persil.

Salade de haricots et de pois chiches

Préférez des haricots et des pois chiches en conserve, plus rapides à préparer.

INGRÉDIENTS

Pour 4 à 6 personnes

425 g/15 oz de haricots nains rouges
    en conserve

425 g/15 oz de haricots blancs en conserve

425 g/15 oz de pois chiches en conserve

¼ de poivron rouge

¼ de poivron vert

6 radis

15 ml/1 c. à soupe d'oignon nouveau haché

1 oignon nouveau coupé en fines lamelles
    pour la décoration

5 ml/1 c. à thé de cumin en poudre

15 ml/1 c. à soupe de ketchup

30 ml/2 c. à soupe d'huile d'olive

15 ml/1 c. à soupe de vinaigre de vin blanc

1 gousse d'ail écrasée

2,5 ml/½ c. à thé de sauce forte au piment

1 Égouttez les haricots rouges, les haricots blancs et les pois chiches dans une passoire, puis rincez-les à l'eau froide. Secouez pour éliminer l'excès d'eau, puis transférez-les dans une jatte.

2 Égrenez et émincez les ¼ de poivrons. Équeutez les radis et coupez-les en fines rondelles. Ajoutez les poivrons, les radis et l'oignon dans la jatte.

3 Mettez le cumin, le ketchup, l'huile d'olive, le vinaigre et l'ail dans un bol. Ajoutez un peu de sel et de sauce au piment, et mélangez bien.

4 Versez l'assaisonnement sur la salade et tournez. Laissez-la au moins 1 h au réfrigérateur avant de la servir, décorée des fines lamelles d'oignon nouveau.

Salade de jambon fumé et de haricots

En accompagnement, cette salade riche et consistante doit être servie en petites quantités.

Pour 8 personnes

175 g/6 oz de haricots blancs

1 oignon

1 carotte

225 g/8 oz de jambon fumé, coupé
    en petits morceaux

3 tomates moyennes pelées, épépinées
    et coupées en dés

sel et poivre noir moulu

Pour l'assaisonnement

2 gousses d'ail écrasées

45 ml/3 c. à soupe d'huile d'olive

45 ml/3 c. à soupe de vinaigre de vin rouge

30 ml/2 c. à soupe d'huile végétale

15 ml/1 c. à soupe de jus de citron

15 ml/1 c. à soupe de basilic frais haché
    ou 5 ml/1 c. à thé de basilic sec haché

15 ml/1 c. à soupe de moutarde « à
    l'ancienne »

5 ml/1 c. à thé de sauce de soja

2,5 ml/½ c. à thé d'origan sec

2,5 ml/½ c. à thé de sucre en poudre

1,5 ml/¼ c. à thé de sauce Worcestershire

2,5 ml/½ c. à thé de sauce au piment

1 Faites tremper les haricots toute une nuit dans de l'eau froide. Égouttez-les.

2 Mettez les haricots dans une casserole, et ajoutez l'oignon et la carotte. Recouvrez d'eau froide et portez à ébullition. Baissez le feu et faites mijoter environ 1 h jusqu'à ce que les haricots soient tendres.

3 Égouttez les haricots et réservez l'oignon et la carotte. Disposez les haricots dans un saladier.

4 Hachez finement l'oignon et la carotte, puis ajoutez-les aux haricots. Incorporez le jambon fumé et les tomates.

5 Dans un bol, mélangez tous les ingrédients de l'assaisonnement en fouettant.

6 Versez l'assaisonnement sur le jambon et les haricots. Salez, poivrez, remuez, puis servez.

Salade de haricots blancs au céleri

Cette délicieuse salade de haricots est une alternative à la salade de pommes de terre, plus courante. Si vous n'avez pas le temps de faire tremper et cuire les haricots secs, utilisez des haricots en conserve.

INGRÉDIENTS

Pour 4 personnes

450 g/1 lb de haricots blancs secs ou 3
    boîtes de 400 g/14 oz de haricots blancs
1 l/1¾ pintes/4 tasses de bouillon
    de légumes
3 branches de céleri coupées en lamelles
    de 1 cm/½ po
120 ml/4 oz/½ tasse de vinaigrette
45 ml/3 c. à soupe de persil frais haché
sel et poivre noir moulu

1 Si vous utilisez des haricots secs, laissez-les tremper dans une grande quantité d'eau froide au moins 4 h. Jetez l'eau, puis mettez les haricots dans une casserole. Recouvrez-les d'eau.

2 Portez à ébullition, puis laissez mijoter à découvert 1 h 30, jusqu'à ce que les peaux des haricots se détachent. Les haricots cuits s'écrasent facilement entre le pouce et l'index. Égouttez. Si vous utilisez des haricots en conserve, égouttez-les et rincez-les.

3 Transférez les haricots dans une casserole. Ajoutez le bouillon de légumes et le céleri, portez à ébullition, couvrez et faites mijoter 15 min. Égouttez et remettez dans la casserole. Versez la vinaigrette sur les haricots et laissez refroidir.

4 Ajoutez le persil haché et mélangez. Salez, poivrez, disposez dans un saladier et servez.

Salade de lentilles et de chou

Accompagnée d'une baguette ou de pain complet, cette salade croquante constitue un succulent déjeuner.

INGRÉDIENTS

Pour 4 à 6 personnes

225 g/8 oz/1 tasse de lentilles sèches

350 g/12 oz de chou émincé

3 gousses d'ail

1 feuille de laurier

1 petit oignon pelé et garni
   de 2 clous de girofle

15 ml/1 c. à soupe d'huile d'olive

1 oignon rouge émincé en fines rondelles

15 ml/1 c. à soupe de feuilles de thym frais

15 ml/1 c. à soupe de vinaigre
   à la framboise

zeste finement râpé et jus d'1 citron

sel et poivre noir moulu

1 Rincez les lentilles à l'eau fraîche et mettez-les dans une casserole avec 1,5 l/2½ pintes/ 6¼ tasses d'eau froide, 1 gousse d'ail, la feuille de laurier et l'oignon garni de clous de girofle. Portez à ébullition et faites cuire 10 min. Baissez le feu, couvrez et laissez mijoter 15 à 20 min. Égouttez et retirez l'oignon, l'ail et la feuille de laurier.

2 Écrasez les 2 gousses d'ail res- tantes. Chauffez l'huile dans une casserole. Ajoutez l'oignon rouge, l'ail écrasé et le thym, et faites cuire 5 min, jusqu'à ce que le tout soit tendre.

3 Incorporez le chou et poursui- vez la cuisson 3 à 5 min, jus- qu'à ce qu'il soit *al dente*.

4 Ajoutez les lentilles cuites, le vinaigre à la framboise, le zeste et le jus de citron. Salez, poivrez et servez aussitôt.

Salade de fèves rouges

Les grosses fèves rouges sont disponibles dans les magasins diététiques. Vous pouvez les remplacer par des haricots noirs ou rouges.

INGRÉDIENTS

Pour 6 personnes

350 g/12 oz/1½ tasses de fèves
  rouges sèches

3 brins de thym frais

2 feuilles de laurier

1 oignon coupé en deux

4 gousses d'ail écrasées

7,5 ml/1½ c. à thé de graines
  de cumin écrasées

3 oignons nouveaux finement hachés

90 ml/6 c. à soupe de persil frais haché

20 ml/4 c. à thé de jus de citron

90 ml/6 c. à soupe d'huile d'olive

3 œufs durs grossièrement hachés

1 concombre mariné dans le vinaigre,
  grossièrement coupé

sel et poivre noir moulu

1 Mettez les fèves dans une jatte, recouvrez-les d'eau froide et laissez-les tremper toute la nuit. Égouttez-les et transférez-les dans une casserole d'eau froide. Portez à ébullition et faites bouillir 10 min.

2 Baissez le feu et ajoutez le thym, les feuilles de laurier et l'oignon. Faites mijoter à feu doux environ 1 h, afin que les fèves soient tendres. Égouttez les fèves, jetez les herbes et l'oignon.

> ## CONSEIL
> ❧
> Le temps de cuisson des fèves peut varier considérablement, mais il est au minimum de 45 min.

3 Disposez les fèves dans une jatte. Mélangez l'ail, les graines de cumin, les oignons nouveaux, le persil, le jus de citron et l'huile dans un bol. Salez et poivrez légèrement. Versez l'assaisonnement sur les fèves et remuez délicatement.

4 Incorporez avec précaution les œufs durs et le concombre mariné. Dressez la salade sur un plat et servez immédiatement.

Salade de boulgour aux herbes

Pour réussir cette salade, il est essentiel de se procurer des herbes fraîches.

INGRÉDIENTS

Pour 4 personnes

225 g/8 oz/1⅓ tasses de boulgour

350 ml/12 oz/1½ tasses de bouillon
  de légumes

1 bâton de cannelle

1 pincée de poivre de Cayenne

1 pincée de clous de girofle moulus

5 ml/1 c. à thé de sel

10 haricots mange-tout équeutés

1 poivron rouge et 1 poivron jaune grillés,
  pelés, épépinés et coupés en dés

2 tomates roma pelées, épépinées
  et taillées en dés

2 échalotes émincées en fines lamelles

5 olives noires dénoyautées
  et coupées en quatre

30 ml/2 c. à soupe de basilic frais haché

30 ml/2 c. à soupe de menthe fraîche hachée

30 ml/2 c. à soupe de persil frais haché

30 ml/2 c. à soupe de noix
  grossièrement émiettées

30 ml/2 c. à soupe de vinaigre balsamique

120 ml/4 oz/½ tasse d'olive extra-vierge

poivre noir moulu

rondelles d'oignon pour la décoration

1 Placez le boulgour dans une jatte. Mettez le bouillon de légumes dans une casserole, ajoutez les épices et le sel, puis portez à ébullition.

2 Laissez cuire 1 min, puis versez le bouillon, avec le bâton de cannelle, sur le boulgour. Laissez gonfler 30 min.

3 Dans une autre jatte, placez les haricots mange-tout, les poivrons, les tomates, les échalotes, les olives, les herbes et les noix. Ajoutez le vinaigre, l'huile d'olive et le poivre noir. Mélangez bien.

4 Passez le boulgour au tamis et jetez le bâton de cannelle. Transférez le boulgour dans un saladier, puis ajoutez le mélange de légumes frais. Servez cette salade décorée de rondelles d'oignon.

Salade de riz complet à l'ananas

Le riz complet, au goût spécifique de noix, s'accompagne ici d'un assaisonnement oriental.

INGRÉDIENTS

Pour 4 à 6 personnes

115 g/4 oz/²/₃ tasse de riz complet

225 g/8 oz de tranches d'ananas en conserve

45 ml/3 c. à soupe de raisins secs

1 petit poivron rouge épépiné
    et coupé en morceaux

200 g/7 oz de grains de maïs doux en
    conserve, égouttés

15 ml/1 c. à soupe de sauce de soja

15 ml/1 c. à soupe d'huile de tournesol

15 ml/1 c. à soupe d'huile de noisettes

1 gousse d'ail écrasée

5 ml/1 c. à thé de gingembre râpé

sel et poivre noir moulu

4 oignons nouveaux coupés en rondelles
    pour la décoration

1 Faites cuire le riz complet dans une casserole d'eau bouillante légèrement salée, 30 min environ, jusqu'à ce qu'il soit tendre. Égouttez-le bien et laissez-le refroidir. Dans le même temps, commencez à préparer la garniture. Émincez les oignons nouveaux en biais et réservez-les.

2 Mettez le riz dans un saladier. Incorporez le poivron rouge, le maïs et les raisins secs. Égouttez les tranches d'ananas en conservant leur jus, puis ajoutez-les au mélange de riz. Remuez délicatement.

3 Versez le jus d'ananas dans un bocal dont le couvercle se visse. Incorporez la sauce de soja, les huiles de tournesol et de noisettes, l'ail et le gingembre. Salez et poivrez. Fermez hermétiquement le bocal et agitez énergiquement.

4 Versez l'assaisonnement sur la salade et mélangez. Disposez les rondelles d'oignons dessus et servez.

CONSEIL

L'huile de noisettes confère à toute salade une saveur merveilleuse et unique. Comme l'huile d'olive, elle contient surtout des graisses non saturées.

Salade de couscous aux courgettes

Cette salade est excellente en accompagnement de poulet grillé .

INGRÉDIENTS

Pour 4 personnes

275 g/10 oz/1²/₃ tasses de graines
    de couscous
550 ml/18 oz/2¼ tasses de bouillon
    de légumes brûlant
16 à 20 olives noires
2 petites courgettes
25 g/1 oz/¼ tasse d'amandes
    effilées grillées
60 ml/4 c. à soupe d'huile d'olive
15 ml/1 c. à soupe de jus de citron
15 ml/1 c. à soupe de coriandre
    fraîche hachée
15 ml/1 c. à soupe de persil frais haché
1 bonne pincée de cumin en poudre
1 bonne pincée de poivre de Cayenne
sel

3 Incorporez les courgettes, les olives et les amandes grillées au couscous, en remuant.

4 Mélangez l'huile d'olive, le jus de citron, les herbes, les épices et 1 pincée de sel dans un bol. Versez l'assaisonnement sur la salade.

1 Mettez les graines de couscous dans une jatte et versez le bouillon brûlant dessus. Remuez à la fourchette, puis laissez 10 min, jusqu'à ce que le bouillon soit absorbé. Mélangez à la fourchette.

2 Partagez les olives en deux et retirez les noyaux. Coupez les extrémités des courgettes, puis émincez-les.

Salade de boulgour aux oranges

Le boulgour est une très bonne alternative au riz et aux pâtes, et il constitue une salade d'accompagnement originale.

Pour 4 personnes

150 g/5 oz/⅞ tasse de boulgour
2 oranges sans pépins pelées
1 petit poivron vert
¼ de concombre coupé en dés
15 g/½ oz/½ tasse de menthe
    fraîche hachée
40 g/1½ oz/⅓ tasse d'amandes effilées
    et grillées
zeste râpé et jus d'1 citron
sel et poivre noir moulu
brins de menthe fraîche
    pour la décoration

1 Avec un couteau bien aiguisé, coupez le poivron vert en deux et retirez les graines. Débitez-le en dés et réservez.

2 Mettez le boulgour dans une casserole et ajoutez 600 ml/ 1 pinte/2½ tasses d'eau. Portez à ébullition, baissez le feu, couvrez et faites mijoter 10 à 15 min jusqu'à ce que le boulgour soit tendre. Vous pouvez aussi mettre le boulgour dans une jatte résistant à la chaleur, verser de l'eau bouillante dessus et laisser tremper 30 min. Toute l'eau doit être absorbée.

3 Mélangez le boulgour, le poivron vert, le concombre, la menthe et les amandes grillées dans un saladier. Ajoutez le zeste et le jus de citron.

4 En travaillant au-dessus du saladier afin de recueillir le jus, coupez soigneusement les oranges en quartiers, en éliminant la membrane. Ajoutez-les au mélange à base de boulgour, salez et poivrez. Remuez délicatement. Décorez de brins de menthe et servez.

VARIANTE
BOULGOUR AU FENOUIL
ET À LA GRENADE

Dans cette variante, le fenouil est associé à des pépins de grenade. Cette salade, croquante et légèrement sucrée, est parfaite pour un déjeuner estival.

Pour 6 personnes

225 g/8 oz/1⅓ tasses de boulgour
2 bulbes de fenouil
pépins de grenade

1 petit piment rouge épépiné
    et finement haché
1 branche de céleri coupée
    en fines tranches
30 ml/2 c. à soupe d'huile d'olive
zeste finement râpé et jus de 2 citrons
6 à 8 oignons nouveaux hachés
90 ml/6 c. à soupe de menthe
    fraîche hachée
90 ml/6 c. à soupe de persil frais haché
sel et poivre noir moulu
feuilles de laitue pour l'accompagnement

1 Mettez le boulgour dans une jatte et recouvrez d'eau bouillante. Laissez tremper 30 min.

2 Égouttez le boulgour dans une passoire en appuyant dessus pour faire sortir l'excédent d'eau.

3 Coupez les bulbes de fenouil en deux et taillez-les en rondelles très fines.

4 Mélangez les autres ingrédients ensemble, puis incorporez-les au boulgour, ainsi que le fenouil. Salez, poivrez, couvrez et laissez reposer 30 min. Servez cette salade accompagnée de feuilles de laitue.

LES REPAS
DE SALADES

Salade niçoise

*Servie avec des croûtons aillés,
cette salade classique originaire
du Midi constitue un merveilleux
repas estival ou un dîner léger.*

INGRÉDIENTS

Pour 4 à 6 personnes

225 g/8 oz de haricots verts

450 g/1 lb de pommes de terre nouvelles
  pelées et coupées en morceaux
  de 2,5 cm/1 po

vinaigre de vin blanc et huile d'olive
  pour l'assaisonnement

1 romaine ou 1 laitue coupée
  en morceaux

4 tomates roma mûres et coupées
  en quartiers

1 poivron rouge ou vert épépiné
  et coupé en fines rondelles

1 petit concombre pelé, épépiné
  et coupé en dés

4 œufs durs coupés en quatre

24 olives noires

225 g/8 oz de thon en saumure égoutté

50 g/2 oz de filets d'anchois à l'huile
  d'olive en conserve, égouttés

feuilles de basilic pour la décoration

croûtons à l'ail pour l'accompagnement

Pour l'anchoïade

20 ml/4 c. à thé de moutarde de Dijon

50 g/2 oz de filets d'anchois à l'huile
  d'olive en conserve, égouttés

1 gousse d'ail écrasée

60 ml/4 c. à soupe de jus de citron
  ou de vinaigre de vin blanc

120 ml/4 oz/½ tasse d'huile de tournesol

120 ml/4 oz/½ tasse d'huile d'olive
  extra-vierge

poivre noir moulu

1 Préparez d'abord l'anchoïade. Mettez la moutarde, les anchois et l'ail dans un bol, et mélangez en pressant l'ail et les anchois contre les parois du bol. Poivrez généreusement. Incorporez au fouet le jus de citron et le vinaigre. Versez lentement l'huile de tournesol, puis l'huile d'olive, en continuant à battre jusqu'à ce que l'assaisonnement soit homogène et onctueux.

2 Vous pouvez aussi mettre tous les ingrédients, sauf les huiles, dans un mixer équipé d'une lame de métal adéquate. Pendant que l'appareil tourne, ajoutez lentement les huiles jusqu'à ce que l'assaisonnement soit homogène et onctueux.

3 Mettez les haricots verts dans une casserole d'eau bouillante salée et faites cuire 3 min, jusqu'à ce qu'ils soient légèrement tendres. Avec une écumoire, transférez les haricots verts dans une passoire et rincez-les à l'eau froide. Égouttez de nouveau et réservez.

4 Plongez les pommes de terre dans de l'eau bouillante, baissez le feu, faites mijoter 10 à 15 min, afin qu'elles soient tendres. Égouttez. Arrosez-les de vinaigre, d'huile d'olive et d'1 cuillerée d'anchoïade.

5 Dressez la romaine ou la laitue sur un plat, ajoutez les tomates, le poivron rouge ou vert et le concombre. Finissez par les haricots verts et les pommes de terre.

6 Disposez les œufs en couronne. Parsemez la salade d'olives, de thon émietté et d'anchois. Décorez de feuilles de basilic. Arrosez du reste d'anchoïade et servez avec des croûtons à l'ail.

CONSEIL

Pour les croûtons à l'ail, coupez 1 baguette en fines tranches ou 1 miche de pain de campagne, en dés de 2,5 cm/1 po. Mettez le pain en une seule couche sur une plaque et laissez 7 à 10 min au four préchauffé à 180 °C/ 350 °F jusqu'à ce que le pain soit doré. Frottez le pain grillé avec 1 gousse d'ail et servez chaud, ou laissez refroidir et mettez dans un récipient hermétique.

Salade marocaine de thon

Les haricots verts sont accompagnés ici de tranches de thon ou d'espadon et de fèves fraîches.

INGRÉDIENTS

Pour 6 personnes

environ 900 g/2 lb de thon ou d'espadon frais coupé en tranches de 2 cm/3/4 po

450 g/1 lb de haricots verts équeutés

450 g/1 lb de fèves

1 romaine

450 g/1 lb de tomates cerises coupées en deux, sauf si elles sont très petites

30 ml/2 c. à soupe de coriandre fraîche grossièrement hachée

3 œufs durs

175 à 225 g/6 à 8 oz/1 1/2 à 2 tasses d'olives noires dénoyautées

huile d'olive pour enduire le poisson

Pour l'assaisonnement

45 ml/3 c. à soupe d'huile d'olive

10 à 15 ml/2 à 3 c. à thé de jus de citron vert ou jaune

1/2 gousse d'ail écrasée

Pour la marinade

1 oignon

2 gousses d'ail

1/2 bouquet de persil frais

1/2 bouquet de coriandre fraîche

10 ml/2 c. à thé de paprika

45 ml/3 c. à soupe d'huile d'olive

30 ml/2 c. à soupe de vinaigre de vin blanc

15 ml/1 c. à soupe de jus de citron vert ou jaune

1 Préparez d'abord la marinade. Mettez tous les ingrédients dans un mixer, ajoutez 45 ml/3 c. à soupe d'eau et actionnez 30 à 40 s, jusqu'à ce que les ingrédients soient finement hachés.

2 Piquez les tranches de thon ou d'espadon avec une fourchette et disposez-les dans un plat peu profond. Versez la marinade en retournant le poisson, pour que chaque morceau soit bien nappé. Recouvrez de film alimentaire et laissez 2 à 4 h dans un endroit frais.

3 Pour la salade, faites cuire les haricots verts et les fèves dans de l'eau bouillante salée jusqu'à ce qu'ils soient tendres. Égouttez-les et rafraîchissez-les sous l'eau du robinet. Écossez les fèves, puis mettez-les dans un saladier avec les haricots verts.

4 Jetez les feuilles extérieures de la romaine et préparez les feuilles tendres. Ajoutez dans le saladier, avec les tomates et la coriandre. Écalez les œufs et coupez-les en huit. Mélangez l'huile d'olive, le jus de citron vert ou jaune et l'ail.

5 Faites chauffer le gril et placez les tranches de poisson sur une grille. Enduisez-les de marinade et d'un peu d'huile d'olive supplémentaire. Faites griller 5 à 6 min de chaque côté jusqu'à ce que le poisson soit tendre et s'émiette facilement. Enrobez de nouveau de marinade et d'huile d'olive en retournant le poisson.

6 Laissez un peu refroidir le poisson, puis brisez-le en gros morceaux. Ajoutez à la salade avec les olives et l'assaisonnement. Décorez avec les œufs et servez.

Poisson à la mangue

La mangue, très parfumée, est alliée
de façon insolite à du piment,
du gingembre et du citron vert.

INGRÉDIENTS

Pour 4 personnes

4 rougets, brèmes de mer ou pagres,
    chacun d'environ 275 g/10 oz

1 mangue

1 baguette de pain

15 ml/1 c. à soupe d'huile végétale

1 cm/½ po de racine de gingembre frais

1 piment rouge épépiné et finement haché

30 ml/2 c. à soupe de jus de citron vert

30 ml/2 c. à soupe de coriandre
    fraîche hachée

175 g/6 oz de jeunes pousses d'épinards

150 g/5 oz de pak-choï

175 g/6 oz de tomates cerises coupées
    en deux

1 Faites chauffer le four à 180 °C/
350 °F. Coupez la baguette en
tranches de 20 cm/8 po de long.
Fendez-la dans le sens de la longueur, puis taillez-la en gros bâtonnets. Mettez le pain sur une plaque
et faites-le sécher 15 min au four.

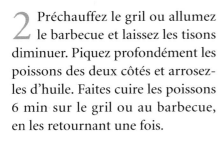

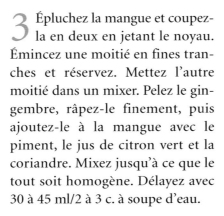

2 Préchauffez le gril ou allumez
le barbecue et laissez les tisons
diminuer. Piquez profondément les
poissons des deux côtés et arrosez-
les d'huile. Faites cuire les poissons
6 min sur le gril ou au barbecue,
en les retournant une fois.

3 Épluchez la mangue et coupez-
la en deux en jetant le noyau.
Émincez une moitié en fines tranches et réservez. Mettez l'autre
moitié dans un mixer. Pelez le gingembre, râpez-le finement, puis
ajoutez-le à la mangue avec le
piment, le jus de citron vert et la
coriandre. Mixez jusqu'à ce que le
tout soit homogène. Délayez avec
30 à 45 ml/2 à 3 c. à soupe d'eau.

4 Lavez les épinards et les feuilles
de pak-choï. Égouttez-les en
les secouant dans un panier, puis
répartissez-les dans quatre assiettes.
Disposez les poissons dessus. Avec
une cuillère, nappez de sauce à la
mangue. Ajoutez les tranches de
mangue réservées et les moitiés de
tomates. Servez avec les morceaux
croustillants de baguette.

Saumon grillé aux légumes printaniers

Le printemps est la saison où l'on peut savourer des légumes jeunes et tendres. Faites-les cuire brièvement, laissez-les refroidir à température ambiante, assaisonnez-les et servez-les avec un morceau de saumon légèrement grillé, recouvert d'oseille et d'un œuf de caille.

Pour 4 personnes

4 filets de saumon d'environ
    150 g/5 oz chacun, sans la peau
350 g/12 oz de petites pommes de terre
    nouvelles grattées
115 g/4 oz d'épis de maïs nains doux
115 g/4 oz de carottes nouvelles épluchées
115 g/4 oz de pois gourmands équeutés
115 g/4 oz de haricots verts fins équeutés
115 g/4 oz de courgettes nouvelles
115 g/4 oz de petits pâtissons (facultatif)
4 œufs de caille
120 ml/4 oz/½ tasse de vinaigrette
115 g/4 oz d'oseille sans les tiges
sel et poivre noir moulu

1 Portez les pommes de terre à ébullition dans de l'eau salée et poursuivez la cuisson environ 15 min, afin qu'elles soient tendres. Égouttez, couvrez et tenez au chaud.

2 Faites cuire les œufs de caille 8 min dans de l'eau bouillante. Rafraîchissez à l'eau froide, écalez et coupez les œufs en deux.

3 Dans une casserole d'eau salée portée à ébullition, mettez les maïs nains, les carottes, les pois gourmands, les haricots verts, les courgettes et éventuellement les pâtissons, à cuire 2 à 3 min. Égouttez. Placez les légumes chauds et les pommes de terre dans une jatte, humectez avec un peu de vinaigrette et laissez refroidir.

4 Avec un pinceau, badigeonnez les filets de saumon avec de la vinaigrette et faites griller 6 min au four, en les retournant une fois.

5 Mettez l'oseille et 30 ml/2 c. à soupe de vinaigrette dans une casserole en acier inoxydable ou en émail. Couvrez et faites ramollir 2 min à feu doux. Égouttez dans une passoire et laissez refroidir.

6 Répartissez les pommes de terre et les légumes entre quatre assiettes, puis disposez 1 tranche de saumon sur chacune d'elles. Ajoutez 1 cuillerée d'oseille et 2 moitiés d'œuf de caille sur chaque tranche de saumon. Salez, poivrez et servez à température ambiante.

VARIANTE

Si vous ne trouvez pas d'oseille, utilisez de jeunes pousses d'épinards. Faites-les cuire à feu doux de la même façon que l'oseille.

Nouilles pimentées à l'ananas

Un assaisonnement à la noix de coco, au citron vert et à la sauce de poisson complète divinement cette salade fruitée et épicée.

INGRÉDIENTS

Pour 4 personnes

275 g/10 oz de nouilles japonaises
   udon séchées

½ ananas épluché, sans le cœur
   et coupé en tranches de 4 cm/1½ po

45 ml/3 c. à soupe de sucre de canne

60 ml/4 c. à soupe de jus de citron vert

60 ml/4 c. à soupe de lait de noix de coco

30 ml/2 c. à soupe de nuoc-mâm

30 ml/2 c. à soupe de racine de gingembre
   frais, hachée

2 gousses d'ail finement écrasées

1 mangue mûre ou 2 pêches
   coupée(s) en dés

poivre noir moulu

2 oignons nouveaux coupés en rondelles

2 piments rouges égrenés et émincés

feuilles de menthe verte pour la décoration

1 Faites cuire les nouilles à l'eau bouillante salée jusqu'à ce qu'elles soient tendres. Égouttez, passez sous l'eau froide et égouttez de nouveau.

2 Disposez les tranches d'ananas dans un plat allant au four, saupoudrez de 30 ml/2 c. à soupe de sucre de canne et faites dorer environ 5 min. Laissez légèrement refroidir et débitez en dés.

3 Versez le jus de citron vert, le lait de noix de coco et le nuoc-mâm dans un saladier. Ajoutez le sucre de canne restant, le gingembre, l'ail et le poivre noir et fouettez. Incorporez les nouilles et l'ananas.

4 Ajoutez les dés de mangue ou de pêches et mélangez. Parsemez de rondelles d'oignons nouveaux, de piments émincés et de feuilles de menthe. Servez.

Nouilles de sarrasin au saumon fumé

Les jeunes pousses de petits pois ne sont disponibles que peu de temps. Vous pouvez les remplacer par du cresson, de la mâche, de jeunes poireaux ou encore votre légume vert préféré.

INGRÉDIENTS

Pour 4 personnes

225 g/8 oz de nouilles de sarrasin
   ou de nouilles japonaises *soba*

115 g/4 oz de saumon fumé
   coupé en fines lamelles

15 ml/1 c. à soupe de sauce à l'huître

jus d' ½ citron

30 à 45 ml/2 à 3 c. à soupe d'huile d'olive

115 g/4 oz de jeunes pousses de petits pois

2 tomates mûres pelées, épépinées
   et coupées en lamelles

15 ml/1 c. à soupe de ciboulette hachée

poivre noir moulu

1 Faites cuire les nouilles dans une casserole d'eau bouillante salée jusqu'à ce qu'elles soient tendres, selon les indications inscrites sur le paquet. Égouttez-les.

2 Disposez les nouilles dans une jatte. Ajoutez la sauce à l'huître et le jus de citron. Poivrez et arrosez d'huile d'olive.

3 Incorporez le saumon fumé, les pousses de petits pois, les tomates et la ciboulette. Mélangez et servez immédiatement.

Salade de nouilles à la truite fumée

Cette salade rafraîchissante nécessite des tomates mûres et juteuses.

Pour 4 personnes

225 g/8 oz de nouilles japonaises *somen*

2 truites fumées sans la peau et les arêtes

2 œufs durs grossièrement écrasés

30 ml/2 c. à soupe de ciboulette
  fraîche hachée

moitiés de citron vert pour
  l'accompagnement (facultatif)

Pour l'assaisonnement

6 tomates roma mûres

2 échalotes finement hachées

30 ml/2 c. à soupe de câpres égouttées

30 ml/2 c. à soupe d'estragon frais haché

zeste finement râpé et jus d' ½ orange

60 ml/4 c. à soupe d'huile d'olive
  extra-vierge

sel et poivre noir moulu

1 Pour l'assaisonnement, coupez les tomates en deux, enlevez le cœur et taillez la chair en morceaux.

2 Mettez les tomates dans une jatte avec les échalotes, les câpres, l'estragon, le zeste et le jus d'orange, et l'huile d'olive. Salez, poivrez et mélangez. Laissez mariner 1 à 2 h à température ambiante.

3 Faites cuire les nouilles dans une casserole d'eau bouillante salée, selon les indications inscrites sur le paquet, jusqu'à ce qu'elles soient tendres. Égouttez et rincez à l'eau froide. Égouttez de nouveau.

4 Mélangez les nouilles et l'assaisonnement, puis ajoutez si besoin du sel et du poivre. Disposez les nouilles sur un plat ou dans des assiettes individuelles.

5 Émiettez la truite fumée sur les nouilles, puis saupoudrez d'œufs durs écrasés et de ciboulette. Servez éventuellement avec des moitiés de citron vert.

Salade de truite fumée au raifort

En été, lorsque les feuilles de laitue sont douces et croquantes, mariez-les avec de la truite fumée, des pommes de terre nouvelles chaudes et une onctueuse sauce au raifort.

INGRÉDIENTS

Pour 4 personnes
4 filets de truite fumée
675 g/1½ lb de pommes de terre nouvelles
115 g/4 oz d'un mélange de feuilles
   de plusieurs variétés de laitues
4 tranches de pain de seigle coupées
   en bâtonnets
sel et poivre noir moulu

Pour l'assaisonnement
60 ml/4 c. à soupe de raifort
60 ml/4 c. à soupe d'huile d'arachide
15 ml/1 c. à soupe de vinaigre de vin blanc
10 ml/2 c. à thé de graines de carvi

1 Grattez les pommes de terre. Portez à ébullition dans une casserole d'eau salée et faites cuire environ 15 min, jusqu'à ce qu'elles soient tendres. Enlevez la peau des filets de truite et décollez délicatement la chair de l'arête.

CONSEIL

~

Dans certains cas, il est préférable de saler et poivrer les feuilles de salade plutôt que la sauce.

2 Mettez tous les ingrédients de l'assaisonnement dans un bocal au couvercle vissable et agitez bien. Salez, poivrez les feuilles de laitues, puis arrosez-les d'assaisonnement. Répartissez dans quatre assiettes.

3 Émiettez les filets de truite et coupez les pommes de terre en deux. Disposez-les, ainsi que les bâtonnets de pain de seigle, sur les feuilles de laitues, et mélangez. Salez et poivrez, puis servez.

Salade de crevettes et d'artichauts

INGRÉDIENTS

Pour 4 personnes

350 g/12 oz de crevettes «bouquets»
   cuites et décortiquées

400 g/14 oz de cœurs d'artichauts
   en conserve

½ laitue

1 gousse d'ail

10 ml/2 c. à thé de moutarde de Dijon

60 ml/4 c. à soupe de vinaigre de vin rouge

150 ml/¼ pinte/⅔ tasse d'huile d'olive

45 ml/3 c. à soupe de feuilles de basilic
   frais haché ou 30 ml/2 c. à soupe de
   persil finement haché

1 oignon rouge coupé en rondelles
   très fines

sel et poivre noir moulu

1 Hachez l'ail puis, à l'aide du côté plat de la lame d'un grand couteau, écrasez-le avec 5 ml/1 c. à thé de sel. Dans un bol, mélangez l'ail et la moutarde.

2 En fouettant vigoureusement pour obtenir une consistance épaisse et onctueuse, incorporez le vinaigre, puis l'huile d'olive. Poivrez et rajoutez éventuellement du sel.

3 Incorporez le basilic ou le persil à la marinade, puis les rondelles d'oignon. Laissez reposer 30 min à température ambiante. Ajoutez les crevettes «bouquets» et placez au réfrigérateur au moins 1 h avant de servir.

4 Égouttez les cœurs d'artichauts et coupez chacun en deux. Préparez la laitue.

5 Dressez un lit de laitue sur un plat ou sur quatre assiettes, et disposez les cœurs d'artichauts par-dessus.

6 Ajoutez les crevettes et leur marinade sur la salade, au moment de passer à table.

Salade ghanéenne de crevettes

La banane plantain, cuite dans sa peau pour rester tendre, confère une saveur peu commune à cette salade.

Pour 4 personnes

115 g/4 oz de crevettes «bouquets» cuites et décortiquées

1 gousse d'ail écrasée

7,5 ml/1½ c. à thé d'huile végétale

2 œufs

1 banane plantain jaune coupée en deux

4 feuilles de laitue

2 tomates

1 poivron rouge épépiné

1 avocat

jus d'1 citron

1 carotte

200 g/7 oz de thon ou de sardines en conserve, égoutté(es)

1 piment vert finement haché

30 ml/2 c. à soupe d'oignon nouveau haché

sel et poivre noir moulu

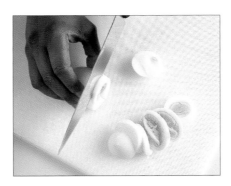

1 Mettez les crevettes et l'ail dans une jatte. Ajoutez un peu de sel et de poivre.

2 Chauffez l'huile dans une casserole. Transférez les crevettes et faites-les cuire quelques minutes à feu doux. Disposez sur une assiette et laissez refroidir.

VARIANTE

Vous pouvez aussi utiliser d'autres variétés de poissons en conserve, comme des maquereaux.

3 Cuisez les œufs afin qu'ils soient durs. Rafraîchissez-les, écalez-les et coupez-les en rondelles.

4 Faites bouillir la banane plantain avec sa peau 15 min à l'eau. Laissez refroidir, puis épluchez et débitez en tranches épaisses.

5 Préparez la laitue et disposez-la sur un plat. Émincez les tomates et le poivron rouge. Épluchez et tranchez l'avocat, en l'arrosant d'un peu de jus de citron.

6 Coupez la carotte en julienne et parsemez sur la laitue avec les autres légumes.

7 Ajoutez la banane plantain, les œufs, les crevettes et le thon ou les sardines. Arrosez avec le reste du jus de citron, éparpillez le piment et l'oignon nouveau sur le dessus, salez, poivrez et servez.

Salade de crevettes au curry

Le curry ajoute une note inattendue à cette salade. Les tonalités épicées se marient bien avec les crevettes et la pomme râpée, au goût sucré. Les saveurs des épices en poudre n'étant pas mises en valeur par une cuisson, choisissez de préférence la pâte à la poudre de curry.

Pour 4 personnes

450 g/1 lb de crevettes roses cuites
    et décortiquées

8 grosses crevettes «bouquets» cuites
    avec leurs carapaces

1 tomate mûre

½ iceberg

1 petit oignon

1 petit bouquet de coriandre fraîche

15 ml/1 c. à soupe de jus de citron

1 pomme

8 quartiers de citron et 4 brins de
    coriandre fraîche pour la décoration

sel

Pour l'assaisonnement au curry

75 ml/5 c. à soupe de mayonnaise

5 ml/1 c. à thé de pâte de curry doux

15 ml/1 c. à soupe de ketchup

1 Pour peler facilement la tomate, faites une croix sur la peau avec un couteau pointu et plongez-la 30 s dans de l'eau bouillante. Égouttez-la et rafraîchissez-la sous l'eau du robinet. Ôtez la peau. Coupez la tomate en deux, retirez les graines et jetez-les. Débitez la chair en dés.

2 Préparez la laitue et mettez-la dans un saladier. Hachez finement l'oignon et la coriandre, puis incorporez-les à la laitue. Arrosez de jus de citron et salez.

3 Pour l'assaisonnement, mélangez la mayonnaise, la pâte de curry et le ketchup dans un bol. Ajoutez 30 ml/2 c. à soupe d'eau pour délayer et salez.

CONSEIL

La coriandre fraîche a tendance à se flétrir si on la conserve hors de l'eau. Mettez-la dans un récipient contenant de l'eau, recouvrez de film alimentaire et gardez-la au réfrigérateur : ainsi, elle restera fraîche plusieurs jours.

4 Mélangez les crevettes roses et l'assaisonnement, en veillant à bien les imprégner.

5 Coupez la pomme en quartiers, retirez le cœur et râpez-la sur les crevettes assaisonnées.

6 Répartissez la laitue sur quatre assiettes. Dressez le mélange à base de crevettes au centre de chacune, puis décorez de 2 crevettes «bouquets», de 2 quartiers de citron et d'1 brin de coriandre.

Salade de crevettes à la menthe

Pour cette recette, utilisez de grosses crevettes roses à la chair ferme, appelées « bouquets ». La cuisson au beurre renforce la saveur piquante.

INGRÉDIENTS

Pour 4 personnes

12 grosses crevettes « bouquets » crues

15 ml/1 c. à soupe de beurre non salé

15 ml/1 c. à soupe de nuoc-mâm

jus d'1 citron vert

45 ml/3 c. à soupe de lait de noix
de coco fluide

5 ml/1 c. à thé de sucre en poudre

1 gousse d'ail écrasée

2,5 cm/1 po de racine de gingembre frais,
pelée et râpée

2 piments rouges épépinés et hachés

30 ml/2 c. à soupe de feuilles de
menthe fraîche

225 g/8 oz de feuilles de laitue vertes
et tendres

poivre noir moulu

1 Décortiquez délicatement les crevettes crues. Jetez la tête et la carapace, mais gardez la queue.

2 Avec un bon couteau, enlevez soigneusement la veine sombre située sur le dos des crevettes.

3 Faites fondre le beurre dans une poêle. Quand il commence à mousser, ajoutez les crevettes et remuez à feu vif jusqu'à ce qu'elles rosissent. Retirez du feu : il est important de ne pas faire cuire les bouquets trop longtemps, de façon à ce qu'ils restent tendres.

CONSEIL

S'il ne vous est pas possible de vous procurer des crevettes « bouquets » fraîches et crues, vous pouvez en utiliser des surgelées. Pour en exalter la saveur au maximum, plongez-les très rapidement dans du beurre chaud quand elles sont complètement décongelées.

4 Dans une jatte, mélangez le nuoc-mâm, le jus de citron vert, le lait de noix de coco, le sucre, l'ail, le gingembre et les piments. Poivrez.

5 Incorporez les bouquets chauds et les feuilles de menthe à l'assaisonnement. Disposez les feuilles de laitue sur un plat et mettez au centre le mélange de bouquets à la menthe.

VARIANTES

Si vous souhaitez un plat plus luxueux, vous pouvez remplacer les crevettes « bouquets » par des queues de langouste. Pour donner une légère note exotique, décorez éventuellement de copeaux de noix de coco fraîche.

Salade de fruits de mer

Cette salade, comprenant un assortiment de fruits de mer, constitue un repas délicieux et nourrissant.

INGRÉDIENTS

Pour 6 à 8 personnes
350 g/12 oz de petits calamars
200 g/7 oz de crevettes « bouquets » crues
    avec leurs carapaces
750 g/1½ lb de moules fraîches
    avec leurs coquilles
450 g/1 lb de petites palourdes fraîches
175 ml/6 oz/¾ tasse de vin blanc
1 bulbe de fenouil
1 petit oignon coupé en quartiers
1 feuille de laurier

Pour l'assaisonnement
75 ml/5 c. à soupe d'huile d'olive
    extra-vierge
45 ml/3 c. à soupe de jus de citron
1 gousse d'ail finement écrasée
sel et poivre noir moulu

1 En vous mettant à proximité de l'évier, nettoyez les calamars en ôtant d'abord leur peau. Rincez-les abondamment.

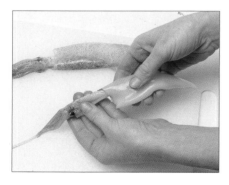

2 En tirant, détachez la tête et les tentacules de la section médiane. Débarrassez-vous des piquants translucides et de tout ce qui reste à l'intérieur des sacs.

3 Jetez la tête et les boyaux. Enlevez le petit bec dur à la base des tentacules. Passez le sac et les tentacules à l'eau froide. Égouttez.

4 Portez à ébullition une casserole d'eau. Ajoutez l'oignon et la feuille de laurier. Plongez-y les calamars et faites cuire environ 10 min, afin qu'ils soient tendres. Retirez et laissez refroidir avant de sectionner en rondelles d'1 cm/ ½ po de large. Coupez chaque tentacule en deux. Réservez.

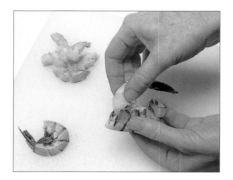

5 Plongez les crevettes dans la même eau bouillante et faites cuire environ 2 min, afin qu'elles rosissent. Sortez avec une écumoire. Décortiquez et enlevez les veines. (Le liquide de cuisson peut être passé et conservé pour une soupe.)

6 Grattez et lavez les moules et les palourdes dans plusieurs eaux froides successives. Celles qui sont ouvertes doivent se refermer si vous tapez dessus. Dans le cas contraire, jetez-les. Mettez dans une casserole avec le vin. Couvrez et faites cuire à la vapeur jusqu'à ce que toutes les coquilles soient ouvertes. Jetez celles restées fermées. Égouttez les moules et les palourdes.

7 À l'aide d'une petite cuillère, sortez toutes les palourdes et toutes les moules (sauf 8) de leurs coquilles. Placez-les dans un saladier. Réservez les moules restantes dans leurs coquilles ouvertes.

8 Détachez la partie verte du fenouil semblable à de l'aneth. Hachez-la finement et réservez-la. Coupez le fenouil en petits morceaux et mettez-le dans le saladier contenant les coquillages. Ajoutez les calamars et les crevettes.

9 Pour l'assaisonnement, mélangez l'huile, le jus de citron et l'ail dans un bol. Ajoutez la partie verte hachée du fenouil. Salez et poivrez. Versez sur la salade, puis mélangez bien. Décorez avec les moules entières réservées. Servez cette salade à température ambiante ou légèrement refroidie.

Salade d'avocat au crabe et à la coriandre

Le crabe, au goût parfumé et subtil, se marie bien avec l'avocat mûr, la coriandre fraîche et la tomate.

Pour 4 personnes

1 endive ou 1 cœur de laitue

175 g/6 oz de mâche ou de jeunes pousses d'épinards

900 g/2 lb de crabe bouilli ou 275 g/10 oz de chair de crabe cuite surgelée

1 gros avocat mûr, pelé et émincé

675 g/1½ lb de petites pommes de terre nouvelles

1 brin de menthe fraîche

175 g/6 oz de tomates cerises

sel, poivre noir moulu et noix de muscade fraîchement râpée

Pour l'assaisonnement

75 ml/5 c. à soupe d'huile d'olive

15 ml/1 c. à soupe de jus de citron vert

45 ml/3 c. à soupe de coriandre fraîche hachée

2,5 ml/½ c. à thé de sucre en poudre

1 Grattez ou épluchez les pommes de terre. Mettez-les dans une casserole d'eau, ajoutez 1 bonne pincée de sel et 1 brin de menthe. Portez à ébullition et laissez cuire environ 15 min, jusqu'à ce que les pommes de terre soient tendres. Égouttez-les, puis couvrez et tenez au chaud.

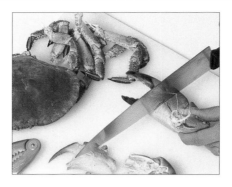

2 Si vous utilisez un crabe frais, retirez ses pattes et ses pinces. Brisez-les avec le dos de la lame d'un couteau et ôtez la chair blanche.

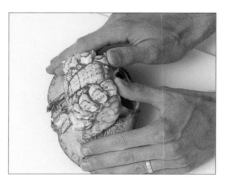

3 Mettez le crabe sur le dos et écartez la section arrière des pattes avec le pouce et l'index de chaque main. Retirez la chair de l'intérieur de la carapace.

4 Ôtez les branchies molles dont le crabe se sert pour filtrer les impuretés de ses aliments. Hormis ceci et la carapace, tout est comestible : les chairs blanche et foncée.

5 Ouvrez la partie centrale avec un couteau et retirez les chairs blanche et foncée à l'aide d'une petite pique en métal.

6 Mélangez les ingrédients de l'assaisonnement dans un bocal dont le couvercle se visse. Fermez et agitez. Mettez les feuilles des différentes salades dans une jatte, versez l'assaisonnement dessus et remuez.

7 Répartissez les feuilles de salades sur quatre assiettes. Disposez dessus l'avocat, le crabe, les tomates et les pommes de terre chaudes. Salez, poivrez et saupoudrez de muscade. Servez aussitôt.

CONSEIL

Les jeunes crabes, plus petits, ont souvent une chair très savoureuse, mais ils sont plus difficiles à préparer. Le crabe femelle a plus de chair que le mâle, mais celui-ci est censé avoir meilleur goût. Le crabe mâle, photographié ici, est reconnaissable à sa section arrière plate. La femelle a une partie postérieure large sous laquelle elle porte ses œufs.

Le crabe surgelé peut avantageusement remplacer le crabe frais car il conserve une bonne partie de sa saveur.

Salade thaïlandaise de nouilles

L'association de lait de noix de coco et d'huile de sésame confère un goût de noix subtil à cette salade de nouilles originale.

INGRÉDIENTS

Pour 4 à 6 personnes

350 g/12 oz de nouilles japonaises *somen*

1 grosse carotte émincée en julienne

1 botte d'asperges nettoyées
   et coupées en tronçons de 4 cm/1½ po

1 poivron rouge épépiné
   et émincé en fines lamelles

115 g/4 oz de haricots mange-tout
   équeutés et coupés en deux

115 g/4 oz d'épis de maïs nains coupés en
   deux dans le sens de la longueur

115 g/4 oz de germes de soja

115 g/4 oz de châtaignes d'eau en conserve,
   égouttées et coupées en fines rondelles

1 citron vert coupé en quartiers, 50 g/
   2 oz/½ tasse de cacahuètes grillées
   émiettées et feuilles de coriandre
   fraîche, pour la décoration

Pour l'assaisonnement

45 ml/3 c. à soupe de basilic haché

75 ml/5 c. à soupe de menthe fraîche
   grossièrement hachée

250 ml/8 oz/1 tasse de lait de noix de coco

30 ml/2 c. à soupe d'huile de sésame

15 ml/1 c. à soupe de racine de gingembre
   frais, râpée

2 gousses d'ail finement hachées

jus d'1 citron

2 oignons nouveaux finement hachés

sel et poivre de Cayenne

1 Pour l'assaisonnement, mélangez bien tous les ingrédients dans un bol. Salez et poivrez.

2 Faites cuire les nouilles dans une casserole d'eau bouillante salée, selon les indications inscrites sur le paquet, jusqu'à ce qu'elles soient tendres. Égouttez, rincez à l'eau froide et égouttez de nouveau.

3 Faites cuire *al dente* tous les légumes sauf les châtaignes d'eau, séparément, dans des casseroles d'eau bouillante et légèrement salée. Égouttez-les, plongez-les aussitôt dans de l'eau froide et égouttez-les de nouveau.

4 Mélangez les nouilles, les châtaignes d'eau, les légumes et l'assaisonnement. Disposez dans un plat, puis décorez de quartiers de citron, de cacahuètes émiettées et de feuilles de coriandre.

Nouilles et crevettes aux fines herbes

Pour 4 personnes

115 g/4 oz de nouilles « cellophane »
   ramollies en les trempant dans
   de l'eau chaude
16 crevettes « bouquets » cuites
   et décortiquées
1 poivron vert égrené et coupé
   en lamelles
½ concombre coupé en lamelles
1 tomate coupée en lamelles
2 échalotes coupées en fines rondelles
sel et poivre noir moulu
feuilles de coriandre fraîche
   pour la décoration

Pour l'assaisonnement

15 ml/1 c. à soupe de vinaigre de riz
30 ml/2 c. à soupe de nuoc-mâm
30 ml/2 c. à soupe de jus de citron vert
2,5 ml/½ c. à thé de racine de gingembre
   frais, râpée
1 tige de serpolet finement haché
1 piment rouge égrené et coupé
   en lamelles
30 ml/2 c. à soupe de menthe fraîche
   grossièrement hachée
quelques brins d'estragon hachés
15 ml/1 c. à soupe de ciboulette
   fraîche hachée
1 pincée de sel

1 Mettez tous les ingrédients de l'assaisonnement dans un bol et fouettez vigoureusement.

2 Égouttez les nouilles, puis plongez-les 1 min dans une casserole d'eau bouillante salée. Égouttez-les, rincez à l'eau froide et égouttez de nouveau.

3 Dans un saladier, mélangez les nouilles, le poivron vert, le concombre, la tomate et les échalotes.

CONSEIL

Vous trouverez facilement des crevettes « bouquets » précuites et souvent décortiquées. Si vous utilisez des crevettes fraîches, faites-les bouillir 5 min. Laissez-les refroidir dans le liquide de cuisson, puis ôtez la queue et la tête, en les tordant. Vous pouvez remplacer les crevettes par des coquilles Saint-Jacques, des moules ou du crabe.

4 Salez et poivrez légèrement, puis ajoutez l'assaisonnement. Répartissez les nouilles dans quatre assiettes individuelles et disposez les crevettes sur le dessus. Décorez de quelques feuilles de coriandre et servez immédiatement.

Salade de nouilles et de poulet au sésame

INGRÉDIENTS

Pour 4 à 6 personnes

400 g/14 oz de fines nouilles fraîches
   aux œufs
1 carotte coupée en julienne
50 g/2 oz de haricots mange-tout
   équeutés, coupés en julienne et blanchis
115 g/4 oz/½ tasse de germes
   de soja blanchis
30 ml/2 c. à soupe d'huile d'olive
225 g/8 oz de blancs de poulet désossés
   et coupés en fines tranches
30 ml/2 c. à soupe de graines
   de sésame grillées
2 oignons nouveaux coupés en lamelles
feuilles de coriandre fraîche
   pour la décoration

Pour l'assaisonnement

45 ml/3 c. à soupe de vinaigre de xérès
75 ml/5 c. à soupe de sauce de soja
60 ml/4 c. à soupe d'huile de sésame
90 ml/6 c. à soupe d'huile d'olive
1 gousse d'ail finement hachée
5 ml/1 c. à thé de racine de gingembre
   frais, râpée
sel et poivre noir moulu

1 Mettez tous les ingrédients de l'assaisonnement dans un bol et fouettez. Salez et poivrez.

2 Faites cuire les nouilles dans une casserole d'eau bouillante salée. Tournez de temps à autre pour les séparer. Elles cuisent rapidement, veillez donc à ne pas les laisser trop longtemps. Égouttez, rincez à l'eau froide et égouttez de nouveau. Versez dans une jatte.

3 Ajoutez aux nouilles la carotte, les haricots mange-tout et les germes de soja. Versez environ la moitié de l'assaisonnement, puis mélangez bien et rajoutez éventuellement des condiments.

4 Chauffez l'huile dans une poêle à frire. Mettez le poulet à revenir 3 min, jusqu'à ce qu'il soit cuit et bien doré. Retirez du feu. Ajoutez les graines de sésame et arrosez avec une partie de l'assaisonnement restant.

5 Disposez le mélange de nouilles et de légumes sur des assiettes individuelles en formant un nid. Mettez le poulet par-dessus. Ajoutez les oignons nouveaux et les feuilles de coriandre, puis servez le reste d'assaisonnement séparément.

Salade de poulet et de pâtes

Composé de pâtes tricolores, ce plat fait un repas nourrissant et apprécié des enfants.

INGRÉDIENTS

Pour 4 personnes

350 g/12 oz de poulet cuit coupé en dés

225 g/8 oz de tortellinis tricolores

30 ml/2 c. à soupe de sauce au *pesto* toute prête

15 ml/1 c. à soupe d'huile d'olive

1 grosse tomate

12 olives noires dénoyautées

225 g/8 oz de haricots verts cuits

sel et poivre noir moulu

basilic frais pour la décoration

3 Incisez une croix sur la peau de la tomate, plongez-la environ 30 s dans de l'eau bouillante, puis pelez-la. La peau s'enlèvera alors facilement. Débitez ensuite la tomate en dés.

4 Ajoutez la tomate et les olives aux tortellinis. Coupez les haricots verts en tronçons de 4 cm/1½ po. Incorporez-les aux tortellinis, ainsi que le poulet. Salez, poivrez et remuez délicatement. Transférez sur un plat, décorez de basilic et servez.

1 Faites cuire les tortellinis *al dente* dans beaucoup d'eau bouillante salée (environ 12 min ou selon les indications du paquet).

2 Égouttez les tortellinis et rincez-les à l'eau froide. Mettez-les dans une jatte, puis incorporez le *pesto* et l'huile d'olive.

Salade de poulet aux croûtons à l'ail

Pour 4 personnes

1,75 kg/4 à 4½ lb de poulet fermier

25 croûtons de 5 mm/¼ po d'épaisseur

300 ml/½ pinte/1¼ tasses de vin blanc
   et d'eau mélangés

1 gousse d'ail pelée

225 g/8 oz de haricots verts

115 g/4 oz de jeunes pousses d'épinards

2 branches de céleri coupées
   en fines rondelles

2 tomates séchées au soleil, hachées

2 oignons nouveaux coupés
   en fines rondelles

ciboulette et persil frais pour
   la décoration

Pour la vinaigrette

30 ml/2 c. à soupe de vinaigre de vin rouge

90 ml/6 c. à soupe d'huile d'olive

15 ml/1 c. à soupe de moutarde
   « à l'ancienne »

15 ml/1 c. à soupe de miel liquide

30 ml/2 c. à soupe de mélange d'herbes
   fraîches hachées (thym,
   persil, ciboulette)

10 ml/2 c. à thé de câpres finement hachées

sel et poivre noir moulu

2 Mélangez les ingrédients de la vinaigrette dans un bocal dont le couvercle se visse. Fermez et agitez vigoureusement. Ajoutez éventuellement du sel et du poivre.

3 Faites griller les croûtons sous le gril du four jusqu'à ce qu'ils soient secs et dorés. Frottez-les légèrement avec la gousse d'ail pelée.

1 Faites chauffer le four à 190 °C/375 °F. Mettez le poulet dans un plat avec le vin et l'eau. Faites cuire 1 h 30 au four, jusqu'à ce qu'il soit tendre. Laissez le poulet refroidir dans le liquide. Retirez la peau et les os, puis coupez la chair en petits morceaux.

4 Équeutez les haricots verts et débitez-les en bâtonnets de 5 cm/2 po. Faites-les cuire dans de l'eau bouillante salée jusqu'à ce qu'ils soient tendres. Égouttez-les et rincez-les à l'eau froide.

5 Lavez les épinards en ôtant les queues et coupez-les en petits morceaux. Disposez sur des assiettes avec le céleri, les haricots verts, les tomates séchées, le poulet et les oignons nouveaux.

6 Arrosez de vinaigrette. Répartissez les croûtons sur le dessus, décorez de ciboulette et de persil frais. Servez immédiatement.

CONSEIL

Cette salade complète constitue une entrée légère pour huit personnes ou un plat principal pour quatre.

Salade de riz complet au poulet

Des morceaux de poulet sont associés avec des légumes, du riz complet et un assaisonnement légèrement pimenté.

INGRÉDIENTS

Pour 6 personnes

275 g/10 oz de riz complet cuit

50 g/2 oz d'un mélange de feuilles de salades variées

50 g/2 oz de jeunes pousses d'épinards

50 g/2 oz de cresson

350 g/12 oz de blancs de poulet désossés, émincés en fines lamelles

30 ml/2 c. à soupe de sauce au piment

30 ml/2 c. à soupe de xérès sec

15 ml/1 c. à soupe de sauce au soja

15 ml/1 c. à soupe de ketchup

10 ml/2 c. à thé d'huile d'olive

8 échalotes finement hachées

1 gousse d'ail écrasée

1 poivron rouge épépiné et coupé en rondelles

175 g/6 oz de haricots mange-tout préparés

400 g/14 oz d'épis de maïs nains égouttés et coupés en deux

sel et poivre noir moulu

brins de persil frais pour la décoration

1 Si certaines feuilles du mélange de salades sont trop grandes, coupez-les en petits morceaux. Disposez-les avec les pousses d'épinards sur un plat. Ajoutez le cresson et remuez.

2 Dans un petit bol, mélangez la sauce au piment, le xérès, la sauce au soja et le ketchup. Réservez.

3 Chauffez l'huile dans une poêle anti-adhésive. Mettez les échalotes et l'ail à revenir environ 1 min sur feu moyen.

4 Faites sauter le poulet dans la poêle 3 à 4 min.

5 Ajoutez le poivron, les haricots mange-tout, les épis de maïs et le riz, et faites revenir 2 à 3 min.

6 Versez le mélange à base de sauce au piment et poursuivez la cuisson 2 à 3 min, jusqu'à ce que le tout soit chaud et en légère ébullition. Salez et poivrez.

7 Déposez le mélange à base de poulet sur les feuilles de salades vertes. Remuez, décorez d'1 brin de persil frais et servez aussitôt.

VARIANTE

Vous pouvez remplacer les blancs de poulet par d'autres viandes maigres, comme des filets de dinde ou de canard.

Salade de poulet aux épices

INGRÉDIENTS

Pour 6 personnes

4 blancs de poulet désossés et sans la peau

5 ml/1 c. à thé de graines de cumin moulues

5 ml/1 c. à thé de paprika

5 ml/1 c. à thé de curcuma

1 à 2 gousses d'ail écrasées

30 ml/2 c. à soupe de jus de citron vert

225 g/8 oz de rigatonis

1 poivron rouge épépiné et haché

2 branches de céleri émincées
    en fines lamelles

1 petit oignon ou 1 échalote,
    finement haché(e)

25 g/1 oz/¼ tasse d'olives vertes farcies,
    coupées en deux

30 ml/2 c. à soupe de miel liquide

15 ml/1 c. à soupe de moutarde
    « à l'ancienne »

15 à 30 ml/1 à 2 c. à soupe de jus
    de citron vert

feuilles de salades mélangées

sel et poivre noir moulu

2 Préchauffez le four à 200 °C/ 400 °F. Posez les blancs de poulet en une seule couche sur une grille et laissez-les cuire 20 min, en les retournant à mi-cuisson.

3 Faites cuire les rigatonis *al dente* dans une casserole d'eau bouillante salée. Égouttez et rincez à l'eau froide. Égouttez de nouveau.

4 Mettez le poivron rouge, les olives le céleri, et le petit oignon ou l'échalote dans une jatte avec les rigatonis. Remuez.

5 Mélangez le miel, la moutarde et le jus de citron vert dans un bol, et versez sur les rigatonis. Tournez pour bien tout imprégner.

6 Coupez les blancs de poulet en petits morceaux. Disposez les feuilles de salades mélangées sur un plat. Ajoutez le mélange de rigatonis au centre, puis les morceaux de poulet épicé dessus.

1 Mélangez le cumin, le paprika, le curcuma, l'ail et le jus de citron vert dans un bol. Salez et poivrez. Frottez-en les blancs de poulet et mettez-les sur un plat peu profond. Recouvrez de film alimentaire et laissez mariner 3 h ou une nuit dans un endroit frais.

Salade de poulet Maryland

Cette salade, constituée de poulet grillé, de maïs doux, de bacon, de bananes et de cresson, est à déguster avec des pommes de terre en robe des champs, simplement agrémentées d'une noisette de beurre.

INGRÉDIENTS

Pour 4 personnes

4 blancs de poulet fermier désossés
huile pour enduire le poulet
225 g/8 oz de bacon non fumé
    et sans couenne
4 épis de maïs doux
45 ml/3 c. à soupe de beurre
    fondu (facultatif)
4 bananes mûres pelées et coupées en deux
4 tomates fermes coupées en deux
75 ml/5 c. à soupe d'huile de cacahuètes
15 ml/1 c. à soupe de vinaigre de vin blanc
10 ml/2 c. à thé de sirop d'érable
10 ml/2 c. à thé de moutarde douce
1 scarole
1 botte de cresson
sel et poivre noir moulu

1 Salez et poivrez les blancs de poulet, badigeonnez-les d'huile et passez-les 15 min sous le gril ou au barbecue, en les retournant une fois. Faites griller le bacon 8 à 10 min jusqu'à ce qu'il soit croquant.

2 Portez à ébullition une casserole d'eau bouillante salée. Ôtez ou laissez les enveloppes des épis de maïs, selon votre préférence. Faites-les cuire 20 min dans l'eau.

3 Pour leur donner plus de goût, enduisez les épis de maïs de beurre fondu et passez-les sous le gril. Faites de même avec les bananes et les tomates, qui doivent griller 6 à 8 min.

4 Mélangez l'huile, le vinaigre, le sirop d'érable, la moutarde et 15 ml/1 c. à soupe d'eau dans un bocal dont le couvercle se visse. Fermez et agitez vigoureusement.

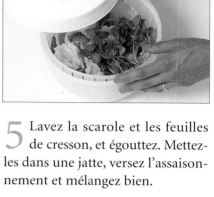

5 Lavez la scarole et les feuilles de cresson, et égouttez. Mettez-les dans une jatte, versez l'assaisonnement et mélangez bien.

6 Répartissez la salade sur quatre assiettes. Coupez en tranches les blancs de poulet et disposez-les sur les feuilles de salade avec le bacon, les bananes, le maïs doux et les tomates. Servez aussitôt.

Salade de poulet à la langue et au gruyère

Des saveurs prononcées et légèrement sucrées sont alliées à celle, plus acide et poivrée, du cresson. Servez avec des pommes de terre nouvelles chaudes.

INGRÉDIENTS

Pour 4 personnes

2 blancs de poulet fermier désossés
    et sans la peau
225 g/8 oz de gruyère
225 g/8 oz de langue de bœuf ou de
    jambon, coupé(e) en tranches
    de 5 mm/¼ po
½ bouillon-cube de volaille
1 lollo rossa
1 cœur de laitue ou 1 endive
1 botte de cresson
2 pommes vertes évidées
    et coupées en rondelles
3 branches de céleri coupées en rondelles
60 ml/4 c. à soupe de graines
    de sésame grillées
sel, poivre noir moulu
    et noix de muscade fraîchement râpée

Pour l'assaisonnement
75 ml/5 c. à soupe d'huile d'arachide
    ou de tournesol
5 ml/1 c. à thé d'huile de sésame
45 ml/3 c. à soupe de jus de citron
10 ml/2 c. à thé de menthe fraîche hachée
3 gouttes de Tabasco

1 Disposez les blancs de poulet dans une casserole peu profonde, recouvrez de 300 ml/ ½ pinte/1¼ tasses d'eau, ajoutez le ½ bouillon-cube, puis portez à ébullition. Couvrez et faites mijoter 15 min. Égouttez (réservez éventuellement le bouillon pour une autre recette).

2 Mettez les huiles, le jus de citron, la menthe et le Tabasco dans un bocal dont le couvercle se visse. Fermez et agitez. Émincez le poulet, le gruyère, la langue ou le jambon en fines lamelles. Versez un peu d'assaisonnement et réservez. Préparez les différentes salades.

3 Mélangez les feuilles de salades, les pommes et le céleri. Ajoutez l'assaisonnement et remuez. Répartissez sur quatre assiettes. Dressez le poulet, le gruyère, et la langue ou le jambon au centre. Saupoudrez de graines de sésame, de sel, de poivre et de noix de muscade râpée. Servez.

Salade de poulet au curry

Pour 4 personnes

2 blancs de poulet cuits, désossés
    et sans la peau

175 g/6 oz de haricots verts

350 g/12 oz de pennes
    de différentes couleurs

150 ml/¼ pinte/⅔ tasse de yaourt nature

5 ml/1 c. à thé de poudre de curry doux

1 gousse d'ail écrasée

1 piment vert épépiné et finement haché

30 ml/2 c. à soupe de coriandre
    fraîche hachée

4 tomates mûres mais fermes, pelées,
    égrenées et débitées en lamelles

sel et poivre noir moulu

feuilles de coriandre pour la décoration

1 Débitez le poulet en lamelles. Coupez les haricots verts en bâtonnets de 2,5 cm/1 po et faites cuire 5 min dans l'eau bouillante salée. Égouttez et rincez.

2 Faites cuire les pennes *al dente* dans une casserole d'eau bouillante salée. Égouttez et rincez bien.

3 Dans un saladier, mélangez le yaourt, la poudre de curry, l'ail, le piment et la coriandre hachée. Ajoutez les morceaux de poulet et laissez reposer 30 min.

4 Transférez les pennes dans un plat, puis incorporez les haricots verts et les tomates. Disposez le mélange à base de poulet sur le dessus. Décorez de feuilles de coriandre et servez.

Biftecks en salade

Ce plat, né dans la communauté créole d'origine italienne de La Nouvelle-Orléans, était à l'origine une sorte de sandwich fourré de restes de viande. Aujourd'hui, il est préparé avec du bifteck tendre et d'autres aliments délicieux. Il s'agit ici d'une version salade.

INGRÉDIENTS

Pour 4 personnes

4 faux-filets ou rumstecks d'environ 175 g/6 oz chacun

1 scarole

1 botte de cresson

4 tomates coupées en quartiers

4 gros cornichons débités en rondelles

4 oignons nouveaux débités en rondelles

4 cœurs d'artichauts en conserve coupés en deux

175 g/6 oz de champignons de Paris débités en rondelles

12 olives vertes

120 ml/4 oz/½ tasse de vinaigrette

sel et poivre noir moulu

1 Poivrez les faux-filets ou les rumstecks. Faites-les griller 6 à 8 min à feu moyen, en les retournant une fois jusqu'à ce qu'ils soient à point. Couvrez et laissez reposer dans un endroit chaud.

2 Mélangez la scarole, le cresson, les tomates, les cornichons, les oignons nouveaux, les cœurs d'artichauts, les champignons et les olives. Incorporez la vinaigrette et remuez.

3 Répartissez les feuilles de salade sur quatre assiettes. Coupez chaque faux-filet ou rumsteck en biais et disposez les tranches de viande sur la salade. Salez et servez immédiatement.

Salade Waldorf au jambon

La salade Waldorf fut créée à l'hôtel Waldorf Astoria, à New York, dans les années 1890. À l'origine, ce mélange de pommes, de céleri et de mayonnaise était servi avec du canard, du jambon ou de l'oie.

INGRÉDIENTS

Pour 4 personnes

2 tranches de jambon cuit, d'environ 175 g/6 oz chacune

3 pommes

15 ml/1 c. à soupe de jus de citron

2 branches de céleri

150 ml/¼ pinte/⅔ tasse de mayonnaise

1 scarole ou 1 endive

1 chicorée de Trévise coupée en morceaux

½ botte de cresson

45 ml/3 c. à soupe d'huile de noix ou d'olive

50 g/2 oz/½ tasse de noix grillées et émiettées

sel et poivre noir moulu

1 Pelez et évidez les pommes, puis coupez-les en fines lamelles. Arrosez de jus de citron pour éviter qu'elles ne s'oxydent. Émincez le jambon et les branches de céleri en lamelles de 5 cm/2 po. Placez les pommes, le jambon et le céleri dans une jatte.

2 Ajoutez la mayonnaise, puis mélangez bien. Lavez et essorez les différentes salades.

3 Coupez les feuilles de salades en fines lamelles et répartissez-les sur quatre assiettes. Arrosez d'huile et placez le mélange à la mayonnaise au centre. Ajoutez les noix grillées, salez, poivrez et servez.

Salade aux foies de poulet et au bacon

Les salades chaudes sont très appréciées en automne. Cette salade nourrissante comprend des épinards et de la frisée, au goût plus amer.

INGRÉDIENTS

Pour 4 personnes

225 g/8 oz de jeunes pousses
    d'épinards équeutées

1 frisée

450 g/1lb de foies de poulet

175 g/6 oz de bacon non fumé, sans
    couenne et coupé en lamelles

115 g/4 oz de tomates cerises

105 ml/7 c. à soupe d'huile d'arachide
    ou de tournesol

75 g/3 oz de pain rassis, sans la croûte
    et coupé en bâtonnets

sel et poivre noir moulu

1 Placez les feuillez d'épinards et de frisée dans un saladier. Chauffez 60 ml/4 c. à soupe d'huile dans une poêle. Mettez le bacon à frire 3 à 4 min, jusqu'à ce qu'il soit croquant et brun. Enlevez le bacon avec une écumoire et posez-le sur du papier absorbant.

2 Faites revenir le pain dans l'huile parfumée au bacon en le retournant, jusqu'à ce qu'il soit doré. Posez sur du papier absorbant.

3 Chauffez les 45 ml/3 c. à soupe restantes d'huile dans la poêle. Mettez les foies de poulet à rissoler 2 à 3 min à feu vif. Disposez les foies de poulet sur les feuilles d'épinards et de frisée, puis ajoutez le bacon, les croûtons et les tomates. Salez, poivrez, remuez et servez chaud.

VARIANTE

À défaut de jeunes pousses d'épinards, vous pouvez utiliser de la mâche ou du cresson, poivré et délicieux. Si vous choisissez ce dernier, complétez la salade avec des feuilles à la saveur moins prononcée ou utilisez-le en petite quantité, de façon à ce que son goût ne domine pas trop.

Salade de porc et de vermicelles de riz

Des morceaux de couenne grillée ajoutent une délicieuse texture croquante à cette salade populaire.

INGRÉDIENTS

Pour 4 personnes

225 g/8 oz de porc maigre

225 g/8 oz de vermicelles de riz

2 gousses d'ail finement hachées

2 rondelles de racine de gingembre frais, pelées et finement hachées

30 à 45 ml/2 à 3 c. à soupe de vin de riz

45 ml/3 c. à soupe d'huile végétale

2 brins de serpolet finement hachés

10 ml/2 c. à thé de poudre de curry

175 g/6 oz/³/4 tasse de pousses de soja

¹/2 laitue émincée

30 ml/2 c. à soupe de feuilles de menthe

jus de citron et nuoc-mâm selon votre goût

sel et poivre noir moulu

2 oignons nouveaux hachés, 25 g/1 oz/ ¹/4 tasse de cacahuètes grillées et émiettées et couenne de porc frite (facultatif), pour la décoration

1 Taillez le porc en fines lamelles. Disposez dans un plat peu profond avec la moitié de l'ail et du gingembre. Salez et poivrez. Versez 30 ml/2 c. à soupe de vin de riz et laissez mariner au moins 1 h.

2 Chauffez l'huile dans une poêle. Ajoutez le reste de l'ail et du gingembre et faites revenir quelques secondes, jusqu'à ce que le tout soit odorant et doré. Incorporez les lamelles de porc avec la marinade, ainsi que le serpolet et la poudre de curry.

3 Faites sauter à feu vif jusqu'à ce que le porc soit doré et bien cuit, en ajoutant du vin de riz si le mélange semble trop sec.

4 Mettez les pousses de soja dans une passoire. Trempez la passoire 1 min dans de l'eau bouillante. Égouttez, laissez refroidir sous l'eau du robinet, égouttez de nouveau. Faites cuire les vermicelles de riz 3 à 5 min à l'eau bouillante salée, afin qu'ils soient tendres. Égouttez et rincez à l'eau froide.

5 Égouttez bien les vermicelles et versez dans une jatte. Ajoutez les pousses de soja, la laitue émincée et les feuilles de menthe. Arrosez de jus de citron et de nuoc-mâm, selon votre goût. Remuez.

6 Répartissez sur quatre assiettes le mélange à base de vermicelles. Disposez dessus la préparation au porc. Décorez d'oignons nouveaux, de cacahuètes grillées et, éventuellement, de couenne de porc frite. Servez.

Patates douces et betteraves au porc

Les saveurs sucrées des patates douces et des betteraves équilibrent l'amertume des feuilles d'endive.

INGRÉDIENTS

Pour 4 personnes
4 belles endives
900 g/2 lb de patates douces
450 g/1 lb de jeunes betteraves conservées
    dans du vinaigre
175 g/6 oz de rôti de porc froid
5 œufs durs
sel

Pour l'assaisonnement
75 ml/5 c. à soupe d'huile d'arachide
    ou de tournesol
30 ml/2 c. à soupe de vinaigre de vin blanc
10 ml/2 c. à thé de moutarde de Dijon
5 ml/1 c. à thé de graines
    de fenouil écrasées

1 Épluchez les patates douces et coupez-les en dés réguliers.

2 Mettez les dés de patates douces dans une casserole d'eau bouillante salée. Portez à ébullition, puis faites cuire 10 à 15 min, jusqu'à ce que les patates douces soient tendres. Égouttez et laissez refroidir.

3 Mélangez l'huile, le vinaigre, la moutarde et les graines de fenouil dans un bocal dont le couvercle se visse. Fermez et agitez.

4 Séparez les feuilles d'endives et disposez-les harmonieusement sur le pourtour de quatre assiettes.

5 Placez les dés de patates douces au centre. Versez ⅔ de l'assaisonnement dessus et sur les feuilles d'endive. Tournez les patates douces pour bien les imprégner.

6 Coupez les œufs durs et les betteraves en rondelles, puis disposez-les en couronne sur les patates douces.

7 Débitez le porc en tranches, puis en lamelles d'environ 4 cm/1½ po. Mettez dans une jatte et versez dessus le reste de l'assaisonnement.

8 Répartissez les lamelles de porc au centre de chaque assiette. Salez et servez.

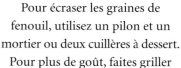

CONSEIL

Pour écraser les graines de fenouil, utilisez un pilon et un mortier ou deux cuillères à dessert. Pour plus de goût, faites griller les graines avant de les broyer.

Salade de saucisses de Francfort

*Cette salade nourrissante peut
être préparée à la dernière minute,
pour un déjeuner rapide.*

INGRÉDIENTS

Pour 4 personnes

350 g/12 oz de saucisses de Francfort

675 g/1½ lb de petites pommes de terre
   nouvelles grattées

2 œufs

1 cœur de laitue

225 g/8 oz de jeunes pousses
   d'épinards équeutées

sel et poivre noir moulu

Pour l'assaisonnement

45 ml/3 c. à soupe d'huile de carthame

30 ml/2 c. à soupe d'huile d'olive

15 ml/1 c. à soupe de vinaigre de vin blanc

10 ml/2 c. à thé de moutarde

5 ml/1 c. à thé de graines de carvi écrasées

1 Portez les pommes de terre à
ébullition dans de l'eau salée
et faites mijoter environ 15 min,
jusqu'à ce qu'elles soient tendres.
Égouttez, couvrez et tenez au chaud.
Faites cuire les œufs à l'eau 12 min.
Laissez-les refroidir dans l'eau, puis
écalez et coupez en quartiers.

2 Avec un couteau, entaillez la
peau des saucisses en travers,
puis placez-les dans de l'eau bouillante. Faites mijoter environ 5 min
pour bien les réchauffer. Égouttez,
couvrez et tenez au chaud.

3 Mettez les ingrédients de l'assaisonnement dans un bocal au
couvercle vissable. Fermez et agitez.

4 Répartissez sur quatre assiettes
les feuilles de laitue et d'épinards. Versez la moitié de l'assaisonnement dessus. Coupez les
pommes de terre en deux.

5 Mélangez les pommes de terre
avec les saucisses chaudes et le
reste de l'assaisonnement dans un
saladier, puis disposez sur la salade.

6 Complétez avec des quartiers
d'œufs durs. Salez, poivrez et
servez immédiatement.

CONSEIL

∾

Cette salade, au caractère
germanique, exige une moutarde
aigre-douce de style allemand.
Les moutardes américaines
ont un goût similaire.

Salade de pâtes au bacon fumé

*Cette savoureuse salade est subtile-
ment parfumée avec du bacon fumé.*

Pour 4 personnes

350 g/12 oz de tortellinis de blé complet

225 g/8 oz de haricots verts

8 tranches de bacon fumé

350 g/12 oz de tomates cerises coupées
   en deux

2 bouquets d'oignons nouveaux hachés

400 g/14 oz de pois chiches en
   conserve, égouttés

Pour l'assaisonnement

90 ml/6 c. à soupe de jus de tomates

30 ml/2 c. à soupe de vinaigre balsamique

5 ml/1 c. à thé de poudre de cumin

5 ml/1 c. à thé de poudre de coriandre

30 ml/2 c. à soupe de coriandre
   fraîche hachée

set et poivre noir moulu

2 Faites chauffer le gril et mettez
à cuire le bacon 2 à 3 min de
chaque côté. Coupez le bacon en
dés et ajoutez-le aux haricots verts.

3 Dans une jatte, mettez les
tomates, les oignons nouveaux
et les pois chiches. Dans un bol,
mélangez le jus de tomates, le
vinaigre, le cumin et la coriandre
fraîche. Salez et poivrez.

4 Versez l'assaisonnement dans
un saladier. Égouttez bien les
tortellinis. Mettez-les dans le saladier, avec les haricots verts au bacon
et le mélange à base de tomates.
Mélangez bien tous les ingrédients.
Servez cette salade chaude ou froide.

1 Faites cuire les tortellinis *al
dente* dans une casserole d'eau
bouillante légèrement salée. Équeutez et coupez en deux les haricots
verts, puis faites-les mijoter environ 5 min dans de l'eau bouillante,
jusqu'à ce qu'ils soient tendres.
Égouttez bien et tenez au chaud.

CONSEIL

Avant utilisation, rincez bien
les pois chiches en conserve,
de manière à ôter le maximum
de saumure (eau salée).

Salade de pâtes au jambon et aux asperges

Cette salade comporte du jambon, des œufs durs et du parmesan. Elle est agrémentée d'un merveilleux assaisonnement fait avec de la moutarde et la partie épaisse des asperges.

INGRÉDIENTS

Pour 4 personnes

450 g/1 lb de tagliatelles sèches

450 g/1 lb d'asperges

225 g/8 oz de jambon cuit coupé en tranches de 5 mm/¼ in d'épaisseur, puis débité en bâtonnets

2 œufs durs coupés en rondelles

50 g/2 oz de parmesan coupé en fins copeaux

Pour l'assaisonnement

50 g/2 oz de pommes de terre cuites

75 ml/5 c. à soupe d'huile d'olive

15 ml/1 c. à soupe de jus de citron

10 ml/2 c. à thé de moutarde de Dijon

120 ml/4 oz/½ tasse de bouillon de légumes

sel et poivre noir moulu

1 Portez à ébullition une casserole d'eau salée. Ôtez la partie dure des asperges. Coupez les asperges en deux et faites cuire la moitié la plus épaisse 12 min, en ajoutant les pointes au bout de 6 min. Transférez dans de l'eau froide et laissez refroidir jusqu'à ce qu'elles soient tièdes, puis égouttez.

2 Hachez finement 150 g/5 oz des morceaux d'asperges les plus épais. Mettez dans un mixer avec les ingrédients de l'assaisonnement, puis faites tourner jusqu'à former un tout homogène. Salez et poivrez.

3 Faites cuire les tagliatelles *al dente* dans une casserole d'eau salée. Rafraîchissez sous l'eau froide.

4 Versez la sauce aux asperges sur les tagliatelles, puis répartissez dans quatre assiettes creuses. Déposez sur chaque nid de tagliatelles du jambon, des rondelles d'œufs durs et des pointes d'asperges. Terminez par des copeaux de parmesan et servez chaud.

Salade de pâtes au jambon et à l'ananas

Cette savoureuse salade aigre-douce se prépare rapidement et constitue un repas complet équilibré.

INGRÉDIENTS

Pour 4 personnes

225 g/8 oz de pennes de blé complet

115 g/4 oz de jambon maigre cuit,
    coupé en dés

200 g/7 oz de morceaux d'ananas égouttés

150 ml/¼ pinte/⅔ tasse de yaourt nature

5 ml/1 c. à thé de moutarde « à l'ancienne »

15 ml/1 c. à soupe de vinaigre de cidre

1 pincée de sucre en poudre

30 ml/2 c. à soupe de chutney
    de mangue piquant

2 branches de céleri hachées

½ poivron vert égrené et coupé en dés

15 ml/1 c. à soupe d'amandes effilées
    et grillées

sel et poivre noir moulu

pain croustillant pour l'accompagnement

1 Faites cuire les pennes *al dente* dans une casserole d'eau bouillante salée. Égouttez et rincez bien. Laissez refroidir.

2 Mélangez le yaourt, la moutarde, le vinaigre, le sucre et le chutney de mangue. Salez et poivrez. Ajoutez les pennes et remuez délicatement.

3 Transférez les pennes dans un plat. Incorporez le jambon, l'ananas, le céleri et le poivron vert.

4 Saupoudrez d'amandes grillées. Servez la salade avec des morceaux de pain croustillant.

Salade de poires aux noix de pécan

Les noix de pécan grillées, très goûteuses, s'associent bien aux poires blanches et croquantes et au riche assaisonnement de bleu, agrémenté de ciboulette.

INGRÉDIENTS

Pour 4 personnes

75 g/3 oz/½ tasse de demi-cerneaux
  de noix de pécan

3 poires croquantes

175 g/6 oz de jeunes pousses
  d'épinards équeutées

1 scarole

1 chicorée de Trévise

30 ml/2 c. à soupe d'assaisonnement
  au bleu et à la ciboulette

sel et poivre noir moulu

pain croustillant pour l'accompagnement

1 Passez les noix de pécan sous le gril du four à température modérée, afin d'exalter leur saveur.

CONSEIL
~

Les noix de pécan ayant
tendance à brûler très
rapidement sous le gril,
surveillez-les et sortez-les dès
qu'elles changent de couleur.

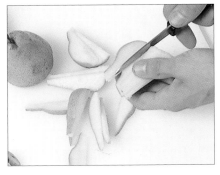

2 Coupez les poires en tranches régulières en laissant la peau mais en ôtant le cœur.

3 Mettez les feuilles d'épinards, de scarole et de chicorée de Trévise dans un saladier. Ajoutez les poires et les noix de pécan grillées, versez l'assaisonnement au bleu et à la ciboulette, et mélangez. Répartissez dans quatre assiettes, salez et poivrez. Servez la salade avec du pain chaud croustillant.

Salade de couscous au fromage de chèvre

Les figues fraîches et les noix se marient parfaitement au sarrasin grillé et au fromage de chèvre. Ce dernier étant acide, il est préférable de ne pas utiliser de vinaigre dans l'assaisonnement.

INGRÉDIENTS

Pour 4 personnes

175 g/6 oz/1 tasse de graines de couscous

175 g/6 oz de fromage de chèvre
  blanc émietté

30 ml/2 c. à soupe de sarrasin grillé

1 œuf dur

30 ml/2 c. à soupe de persil frais haché

60 ml/4 c. à soupe d'huile d'olive

45 ml/3 c. à soupe d'huile de noix

½ frisée

115 g/4 oz de feuilles de roquette

50 g/2 oz/½ tasse de morceaux de
  cerneaux de noix grillés

4 figues mûres, pelées et presque coupées
  en quatre (laissez-les réunies à la base)

1 Mettez le couscous et le sarrasin grillé dans une jatte. Couvrez d'eau bouillante et laissez tremper 15 min. Transférez dans une passoire afin d'éliminer l'eau restante, puis étalez sur une plaque et laissez refroidir.

2 Écalez l'œuf dur, puis râpez-le finement.

3 Mettez l'œuf râpé, le persil, le couscous et le sarrasin dans une jatte. Mélangez les huiles d'olive et de noix, et utilisez la moitié pour arroser la préparation de couscous.

4 Mélangez les feuilles de frisée et de roquette avec le reste de l'huile, puis répartissez-les sur le pourtour de quatre assiettes.

5 Dressez la préparation de couscous au centre des assiettes et émiettez le fromage de chèvre dessus. Parsemez de noix grillées, placez 1 figue au centre de chaque assiette et servez.

CONSEIL

Le fromage de chèvre varie selon les variétés. Les frais sont tendres et subtils, les secs sont plus affinés et ont un goût plus prononcé. Ces derniers, plus fermes, s'émiettent mieux et conviennent très bien aux salades.

Pâtes aux tomates et à la mozzarella

Cette salade, gaie et très appréciée, arbore les couleurs du drapeau italien. Les pâtes en font un plat consistant pour un déjeuner rapide.

Pour 4 personnes

175 g/6 oz de farfalles

6 tomates mûres

225 g/8 oz de mozzarella

1 gros avocat mûr

30 ml/2 c. à soupe de basilic frais haché

30 ml/2 c. à soupe de pignons grillés

1 brin de basilic frais pour la décoration

Pour l'assaisonnement

90 ml/6 c. à soupe d'huile d'olive

30 ml/2 c. à soupe de vinaigre de vin

5 ml/1 c. à thé de vinaigre balsamique

5 ml/1 c. à thé de moutarde « à l'ancienne »

1 pincée de sucre en poudre

sel et poivre noir moulu

1 Faites cuire les farfalles *al dente* dans une grande quantité d'eau bouillante salée.

2 Tranchez les tomates et la mozzarella en fines rondelles.

3 Coupez l'avocat en deux, enlevez le noyau et épluchez. Émincez la chair dans la longueur.

4 Dans un bol, fouettez bien les ingrédients de l'assaisonnement.

5 Disposez harmonieusement les tranches de mozzarella, de tomates et d'avocat sur le pourtour d'une grande assiette plate, de façon à ce qu'elles se chevauchent.

6 Mélangez les farfalles, la moitié de l'assaisonnement et le basilic haché, puis disposez au centre de l'assiette. Arrosez du reste de l'assaisonnement, parsemez de pignons et décorez d'1 brin de basilic frais. Servez immédiatement.

CONSEIL

Lorsqu'il est coupé, l'avocat perd rapidement sa couleur vert pâle. Préparez-le au dernier moment et assaisonnez-le immédiatement. Si vous devez le préparer à l'avance, arrosez le côté coupé de jus de citron et recouvrez de film alimentaire.

Salade de pâtes au roquefort et aux noix

*Pour réussir cette salade simple
et savoureuse, aucun fromage
ne peut remplacer le roquefort,
dont le goût prononcé est adouci
par le parfum délicat des noix.*

Pour 4 personnes

225 g/8 oz de grosses pâtes

225 g/8 oz de roquefort
   grossièrement émietté

115 g/4 oz/1 tasse de demi-cerneaux
   de noix

mélange de feuilles de salades variées
   (roquette, chicorée frisée, mâche, jeunes
   pousses d'épinards et chicorée de Trévise)

60 ml/4 c. à soupe d'huile de tournesol

30 ml/2 c. à soupe d'huile de noix

30 ml/2 c. à soupe de vinaigre de vin rouge
   ou de vinaigre de xérès

sel et poivre noir moulu

3 Disposez les pâtes au milieu
des feuilles de salades, parsemez de miettes de roquefort et versez l'assaisonnement.

4 Ajoutez les noix sur le dessus.
Remuez juste avant de servir.

1 Faites cuire les pâtes *al dente*
dans une grande quantité d'eau
bouillante salée. Égouttez bien et
laissez refroidir. Mettez les feuilles
des diverses salades dans une jatte.

2 Mélangez l'huile de tournesol,
l'huile de noix et le vinaigre.
Salez et poivrez selon votre goût.

CONSEIL

Faites griller les noix pour
leur donner plus de goût.

Salade de pâtes et d'asperges

Cette salade est savoureuse avec de jeunes asperges fraîches.

INGRÉDIENTS

Pour 4 personnes

225 g/8 oz de tortellinis de blé complet
225 g/8 oz de jeunes asperges
60 ml/4 c. à soupe d'huile d'olive
    extra-vierge
350 g/12 oz de petites pommes
    de terre nouvelles
115 g/4 oz de parmesan
sel et poivre noir moulu

1 Faites cuire les tortellinis *al dente* dans une grande quantité d'eau bouillante salée.

2 Égouttez bien, ajoutez l'huile d'olive et remuez pendant que les tortellinis sont encore chauds. Salez et poivrez.

3 Grattez les pommes de terre et faites-les cuire environ 15 min dans l'eau bouillante salée jusqu'à ce qu'elles soient tendres. Égouttez les pommes de terre et mélangez-les aux tortellinis.

4 Équeutez les asperges et coupez les tiges en deux si elles sont très longues. Plongez 6 min dans l'eau bouillante salée jusqu'à ce qu'elles soient vert vif et encore croquantes. Égouttez. Plongez dans l'eau froide pour arrêter la cuisson et laissez tiédir. Égouttez encore et essuyez sur du papier absorbant.

5 Incorporez les asperges aux pommes de terre et aux tortellinis. Ajustez l'assaisonnement selon votre goût et transférez dans un saladier peu profond. Avec un économe, râpez des copeaux de parmesan sur la salade, puis servez.

Salade de courgettes et de carottes

Des rondelles de courgettes frites sont accompagnées d'une salade de carottes croquante et rafraîchissante.

Pour 2 personnes

2 courgettes
2 carottes
25 g/1 oz/¼ tasse de noix de pécan
4 oignons nouveaux débités en rondelles
50 ml/2 oz/¼ tasse de yaourt grec
35 ml/7 c. à thé d'huile d'olive
5 ml/1 c. à thé de jus de citron
15 ml/1 c. à soupe de menthe
  fraîche hachée
25 g/1 oz/¼ tasse de farine
2 pitas
sel et poivre noir moulu
laitue émincée pour la décoration

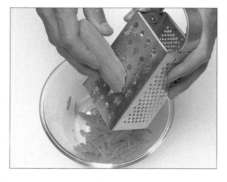

1 Épluchez les carottes. Râpez-les grossièrement dans une jatte.

2 Ajoutez les noix de pécan et les oignons nouveaux et remuez.

3 Préparez l'assaisonnement dans un bol. Mettez le yaourt, 7.5 ml/1½ c. à thé d'huile d'olive, le jus de citron, la menthe et fouettez. Versez l'assaisonnement sur les carottes et mélangez. Couvrez et réservez au réfrigérateur.

4 Coupez les courgettes en rondelles. Mettez la farine dans une assiette. Salez et poivrez-la, puis passez-y les rondelles de courgettes en les enrobant bien.

5 Chauffez le reste d'huile d'olive dans une poêle. Faites revenir les rondelles de courgettes 3 à 4 min, en tournant une fois, jusqu'à ce qu'elles soient dorées. Égouttez sur du papier absorbant.

6 Incisez chaque pita afin de former une poche. Garnissez avec le mélange de carottes et de courgettes. Servez sur un lit de laitue émincée.

CONSEIL

Faites chauffer les pitas au four ou au gril à feu moyen. Ne les garnissez pas trop tôt, car le mélange de carottes les ramollirait.

Salade de pâtes aux olives et aux avocats

Les ingrédients de cette salade colorée sont liés par un merveilleux assaisonnement à base de tomates séchées au soleil et de basilic frais.

INGRÉDIENTS

Pour 6 personnes

225 g/8 oz de tortellinis tricolores

8 olives noires dénoyautées
   et coupées en rondelles

2 avocats moyens

115 g/4 oz de maïs doux égoutté
   ou de maïs doux surgelé et décongelé

½ poivron rouge, égrené et débité en dés

3 oignons nouveaux finement hachés

Pour l'assaisonnement

2 moitiés de tomates séchées au soleil
   non conservées dans l'huile

25 ml/1½ c. à soupe de vinaigre
   balsamique ou de vin blanc

25 ml/1½ c. à soupe de vinaigre
   de vin rouge

½ gousse d'ail écrasée

2,5 ml/½ c. à thé de sel

75 ml/5 c. à soupe d'huile d'olive

15 ml/1 c. à soupe de basilic frais haché

1 Mettez les tomates séchées dans une casserole contenant 2,5 cm/1 po d'eau bouillante. Faites cuire à feu doux environ 3 min, jusqu'à ce qu'elles soient tendres. Égouttez et hachez finement.

2 Mélangez les 2 vinaigres, les tomates, l'ail et le sel dans un mixer. Alors que l'appareil tourne, ajoutez l'huile d'olive en un filet continu. Incorporez le basilic.

3 Faites cuire les tortellinis *al dente* dans une casserole d'eau bouillante salée. Égouttez bien. Mettez les pâtes, le maïs doux, le poivron rouge, les olives et les oignons nouveaux dans une jatte. Ajoutez l'assaisonnement et remuez bien.

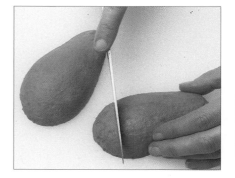

4 Juste avant de servir, épluchez les avocats et coupez-les en dés en ôtant les noyaux. Incorporez délicatement les dés d'avocats à la salade et transférez le tout sur un plat creux. Servez la salade à température ambiante.

Salade de pâtes aux poivrons grillés

Cette salade, composée d'un mélange de poivrons grillés et de deux sortes de champignons, est à la fois délicieuse, agréable à regarder et excellente sur le plan diététique.

INGRÉDIENTS

Pour 6 personnes

350 g/12 oz de pâtes de blé complet
  en forme de coquilles

1 poivron rouge coupé en deux

1 poivron jaune coupé en deux

1 poivron vert coupé en deux

30 ml/2 c. à soupe d'huile d'olive

45 ml/3 c. à soupe de vinaigre balsamique

75 ml/5 c. à soupe de jus de tomates

30 ml/2 c. à soupe de basilic frais haché

15 ml/1 c. à soupe de thym frais haché

175 g/6 oz/2¼ tasses de champignons
  shiitake débités en dés

175 g/6 oz/2¼ tasses de chanterelles
  coupées en rondelles

400 g/14 oz de flageolets rincés et égouttés

115 g/4 oz/¾ tasse de raisins secs

2 bouquets d'oignons nouveaux
  finement hachés

sel et poivre noir moulu

1 Chauffez le gril du four. Mettez les poivrons, la partie évidée vers le bas, sur une grille et passez au four 10 à 15 min, jusqu'à ce que les peaux soient noires. Couvrez les poivrons avec un torchon propre et humide, et laissez refroidir.

2 Pendant ce temps, faites cuire les pâtes *al dente* dans de l'eau bouillante légèrement salée, puis égouttez-les bien.

3 Mélangez l'huile, le vinaigre, le jus de tomates, le basilic et le thym. Incorporez aux pâtes tièdes.

4 Retirez la peau des poivrons. Égrenez, coupez en tranches et ajoutez-les aux pâtes.

5 Incorporez les champignons, les flageolets, les raisins secs et les oignons nouveaux. Salez, poivrez, tournez et servez immédiatement. Vous pouvez aussi couvrir la salade et la conserver au réfrigérateur jusqu'au moment de servir.

Salade méditerranéenne de pâtes

Il s'agit ici d'une variante de salade niçoise, mais à base de pâtes.

INGRÉDIENTS

Pour 4 personnes

225 g/8 oz de grosses pâtes

175 g/6 oz de haricots verts fins

2 grosses tomates mûres

50 g/2 oz de feuilles de basilic frais

200 g/7 oz de thon à l'huile en
  conserve, égoutté

2 œufs durs coupés en rondelles
  ou en quartiers

50 g/2 oz de filets d'anchois en
  conserve égouttés

câpres et olives noires selon votre goût

Pour l'assaisonnement

90 ml/6 c. à soupe d'huile d'olive
  extra-vierge

30 ml/2 c. à soupe de vinaigre de vin blanc
  ou de jus de citron

2 gousses d'ail écrasées

2,5 ml/½ c. à thé de moutarde de Dijon

30 ml/2 c. à soupe de basilic frais haché

sel et poivre noir moulu

1 Pour l'assaisonnement, mettez tous les ingrédients dans un bol et fouettez. Laissez reposer pendant que vous préparez la salade.

CONSEIL

～

Ne mettez pas cette salade
au réfrigérateur car
elle perdrait de sa saveur.

2 Faites cuire les pâtes *al dente* dans de l'eau bouillante salée. Égouttez et laissez refroidir.

3 Équeutez les haricots verts et cuisez-les 3 min dans de l'eau bouillante salée. Égouttez et rafraîchissez sous l'eau froide.

4 Coupez les tomates en rondelles et disposez-les dans le fond d'un saladier. Arrosez avec un peu d'assaisonnement et recouvrez d'¼ des feuilles de basilic, puis des haricots verts. Rajoutez un peu d'assaisonnement et parsemez d'⅓ du basilic restant.

5 Couvrez les légumes de pâtes. Ajoutez un peu d'assaisonnement, la moitié du basilic restant et le thon grossièrement émietté.

6 Disposez les œufs sur le dessus, puis les filets d'anchois, les câpres et les olives. Versez le reste de l'assaisonnement et décorez de basilic. Servez immédiatement.

LES SALADES
DE FÊTE

Gado Gado

Le Gado Gado est un plat indonésien traditionnel, que l'on sert avec une délicieuse sauce piquante aux cacahuètes.

Pour 4 à 6 personnes

2 pommes de terre moyennes

175 g/6 oz de haricots verts équeutés

175 g/6 oz de chou chinois émincé

1 laitue

175 g/6 oz de germes de soja

1/2 concombre coupé en bâtonnets

150 g/5 oz de radis noir émincé

3 oignons nouveaux

225 g/8 oz de tofu coupé en gros dés

3 œufs durs coupés en quartiers

1 petit bouquet de coriandre fraîche

chips à la crevette pour l'accompagnement

Pour la sauce aux cacahuètes

150 g/5 oz/1¼ tasses de cacahuètes crues

15 ml/1 c. à soupe d'huile végétale

2 échalotes ou 1 petit oignon finement haché(es)

1 gousse d'ail écrasée

1 à 2 piments égrenés et finement hachés

1 cm/1/2 po de pâte de crevettes ou 15 ml/ 1 c. à soupe de nuoc-mâm (facultatif)

30 ml/2 c. à soupe de sauce au tamarin

120 ml/4 oz/1/2 tasse de lait de noix de coco en conserve

15 ml/1 c. à soupe de miel liquide

1 Pelez les pommes de terre et mettez-les à cuire dans une casserole d'eau bouillante salée, environ 15 min à feu doux, jusqu'à ce qu'elles soient tendres. Faites cuire les haricots verts 3 à 4 min. Égouttez les pommes de terre et les haricots verts et rafraîchissez sous l'eau froide.

2 Pour la sauce, faites sauter les cacahuètes dans une poêle ou passez-les sous le gril du four, en les retournant de temps en temps.

3 Mettez les cacahuètes dans un linge propre et frottez-les vigoureusement pour enlever la peau sèche. Mixez les cacahuètes 2 min, afin de les réduire en poudre.

4 Chauffez l'huile dans une poêle et faites revenir les échalotes ou l'oignon, l'ail et les piments sans les laisser dorer. Incorporez éventuellement la pâte de crevettes ou le nuoc-mâm, la sauce au tamarin, le lait de noix de coco et le miel.

5 Laissez brièvement mijoter, puis ajoutez aux cacahuètes et mixez en une sauce épaisse. Transférez dans un bol et tenez au chaud.

6 Disposez les pommes de terre, les haricots verts et les autres ingrédients de la salade sur un plat. Servez avec le bol de sauce et les chips à la crevette.

Salades composées

Les salades composées sont parfaites pour commencer un repas. Légères et colorées, elles sont variables à l'infini et il est généralement possible de les préparer à l'avance.

Laissez votre imagination et votre goût vous guider pour transformer des recettes classiques. Ces salades, agréablement disposées sur une assiette ou dans un saladier, offrent des saveurs, des textures et des couleurs contrastées. Vous pouvez utiliser des légumes crus ou cuits, des fruits frais ou secs, des œufs durs de poule ou de caille, de la volaille, de la viande, du poisson fumé ou non, des crustacés crus ou cuits, tant que l'assaisonnement et les autres condiments lient harmonieusement tous les éléments.

À l'inverse d'une salade verte mixte tel le mesclun, pour laquelle l'assaisonnement consiste en une simple vinaigrette, certaines associations demandent des sauces plus élaborées.

Les différents ingrédients peuvent être présentés en groupes, parfois sur un lit de laitue et d'autres feuilles, ou simplement disposés en couronne sur l'assiette. Les salades composées, notamment celles contenant de la viande ou des féculents, sont souvent servies en plat principal léger, surtout en été. Une salade verte est fréquemment consommée après le plat principal : elle est censée préparer au dessert.

Dans le sens des aiguilles d'une montre, en partant du haut à droite : Salade de crevettes, d'avocat et d'agrumes ; Salade de saumon fumé à l'aneth ; Salade d'endives au roquefort.

SALADE DE CREVETTES, D'AVOCAT ET D'AGRUMES

INGRÉDIENTS

Pour 6 personnes

450 g/1 lb de grosses crevettes « bouquets » cuites et décortiquées, les veines retirées
1 avocat pelé, dénoyauté et débité en dés
1 pamplemousse rose, pelé et coupé en quartiers
1 grosse orange sanguine pelée et coupée en quartiers
15 ml/1 c. à soupe de jus de citron vert
15 ml/1 c. à soupe de jus de citron jaune
15 ml/1 c. à soupe de miel liquide
45 ml/3 c. à soupe d'huile d'olive
30 à 45 ml/2 à 3 c. à soupe d'huile de noix
30 ml/2 c. à soupe de ciboulette hachée
30 ml/2 c. à soupe de pignons grillés (facultatif)
sel et poivre noir moulu

1 Dans un bol, mélangez les jus des citrons vert et jaune, le sel, le poivre et le miel. Versez lentement l'huile d'olive en fouettant, puis l'huile de noix pour obtenir un assaisonnement onctueux. Incorporez la ciboulette.

2 Disposez sur des assiettes individuelles les crevettes, les dés d'avocat et les quartiers de pamplemousse et d'orange. Arrosez d'assaisonnement, saupoudrez éventuellement de pignons grillés et servez.

SALADE DE SAUMON FUMÉ À L'ANETH

INGRÉDIENTS

Pour 4 personnes

225 g/8 oz de saumon fumé coupé en fines tranches
1 bulbe de fenouil émincé
1 concombre moyen épépiné et débité en lamelles
30 ml/2 c. à soupe de jus de citron
120 ml/4 oz/½ tasse d'huile d'olive extra-vierge
30 ml/2 c. à soupe d'aneth frais haché et quelques brins pour la décoration
poivre noir moulu
caviar pour l'accompagnement (facultatif)

1 Disposez les tranches de saumon sur quatre assiettes. Placez à côté les tranches de fenouil et le concombre en lamelles.

2 Mélangez le jus de citron et le poivre dans un bol. Versez lentement l'huile d'olive, en fouettant afin d'obtenir un assaisonnement onctueux. Incorporez l'aneth haché.

3 Versez un peu d'assaisonnement sur le fenouil et le concombre, et le restant sur le saumon fumé. Décorez de quelques brins d'aneth. Déposez éventuellement 1 cuillerée de caviar sur chaque assiette avant de servir.

SALADE D'ENDIVES AU ROQUEFORT

INGRÉDIENTS

Pour 4 personnes

2 endives
115 g/4 oz de roquefort
30 ml/2 c. à soupe de vinaigre de vin rouge
5 ml/1 c. à thé de moutarde de Dijon
50 ml/2 oz/¼ tasse d'huile de noix
15 à 30 ml/1 à 2 c. à soupe d'huile de tournesol
1 cœur de céleri ou 4 branches de céleri, émincées en fines lamelles
75 g/3 oz/¾ tasse de demi-cerneaux de noix
sel et poivre noir moulu
brins de persil frais pour la décoration

1 Dans un bol, mélangez en fouettant le vinaigre, la moutarde, le sel et le poivre selon votre goût. Versez lentement les 2 huiles en continuant de fouetter.

2 Disposez les feuilles d'endive sur des assiettes individuelles. Parsemez de céleri et de noix et émiettez le roquefort sur chaque assiette. Versez un peu de vinaigrette, décorez de brins de persil et servez.

Salade thaïlandaise de poisson

*Essayez cette délicieuse association
tropicale de poisson parfumé à la
noix de coco, aux fruits exotiques
et aux épices thaïlandaises.*

INGRÉDIENTS

Pour 4 personnes

350 g/12 oz de filets de rouget, de brème
de mer ou de daurade

1 romaine

½ petite frisée

1 papaye ou 1 mangue pelée
et coupée en tranches

1 pitahya pelé et coupé en tranches

1 grosse tomate mûre coupée en quartiers

½ concombre pelé et débité en lamelles

3 oignons nouveaux coupés en tranches

Pour la marinade

5 ml/1 c. à thé de graines de coriandre

5 ml/1 c. à thé de graines de fenouil

2,5 ml/½ c. à thé de graines de cumin

5 ml/1 c. à thé de sucre en poudre

2,5 ml/½ c. à thé de sauce de piment fort

30 ml/2 c. à soupe d'huile à l'ail

sel

Pour l'assaisonnement

15 ml/1 c. à soupe de crème de noix
de coco

60 ml/4 c. à soupe d'huile d'arachide
ou de carthame

zeste finement râpé et jus d'1 citron vert

1 piment rouge égrené et finement haché

5 ml/1 c. à thé de sucre en poudre

45 ml/3 c. à soupe de coriandre
fraîche hachée

sel

1 Coupez les filets de poisson en
morceaux réguliers et posez-
les sur une assiette ou dans un plat
peu profond.

2 Pour la marinade, écrasez les
graines de coriandre, de fenouil
et de cumin avec le sucre. Ajoutez
la sauce de piment, l'huile à l'ail et
le sel, et mélangez.

3 Enduisez le poisson de marinade, couvrez et laissez reposer
au moins 20 min – plus si vous avez
le temps – dans un endroit frais.

4 Pour l'assaisonnement, mettez
la crème de noix de coco et le
sel avec 45 ml/3 c. à soupe d'eau
bouillante dans un bocal dont le
couvercle se visse. Laissez se dis-
soudre. Ajoutez l'huile, le zeste et le
jus de citron, le piment, le sucre et
la coriandre. Agitez bien et réservez.

5 Mélangez les feuilles de romaine
et de frisée, la papaye ou la
mangue, le pitahya, la tomate, le
concombre et les oignons nouveaux.
Versez l'assaisonnement, remuez et
répartissez sur quatre assiettes.

6 Chauffez une poêle anti-adhésive, puis mettez le poisson à
cuire 5 min, en le retournant une
fois. Disposez le poisson cuit sur la
salade et servez immédiatement.

CONSEIL

Si vous vous y prenez
à l'avance, vous pouvez laisser le
poisson mariner jusqu'à 8 h.
L'assaisonnement peut aussi
se préparer à l'avance,
sans la coriandre fraîche.
Conservez-le à température
ambiante et ajoutez la coriandre
quand vous êtes sur le point
de faire la salade.

Salade San Francisco

La Californie est renommée pour la qualité de ses produits gorgés de soleil. San Francisco est devenue la capitale de la Californie en matière de salades, mais cette recette est, en réalité, inspirée d'un menu servi au restaurant Chez Panisse, à Berkeley.

INGRÉDIENTS

Pour 4 personnes

900 g/2 lb de langoustines ou de crevettes « bouquets »

2 tomates moyennes mûres coupées en quartiers et 4 petites tomates

50 g/2 oz de bulbe de fenouil coupé en tranches

30 ml/2 c. à soupe d'huile d'olive, et un peu plus pour arroser les feuilles de salades

60 ml/4 c. à soupe d'eau-de-vie

150 ml/¼ pinte/⅔ tasse de vin blanc sec

200 ml/7 oz de bisque de homard ou de crabes en conserve

30 ml/2 c. à soupe d'estragon frais haché

45 ml/3 c. à soupe de crème fraîche épaisse

225 g/8 oz de haricots verts équeutés

2 oranges

175 g/6 oz de mâche

115 g/4 oz de feuilles de roquette

½ frisée

sel et poivre de Cayenne

1 Portez une casserole d'eau salée à ébullition, mettez les langoustines ou les crevettes à cuire 10 min. Rafraîchissez-les sous l'eau froide et égouttez.

2 Faites chauffer le four à 220 °C/425 °F. Réservez 4 langoustines ou crevettes pour la décoration. Ôtez les queues des autres. Enlevez les carapaces des queues et réservez ces dernières. Posez les extrémités de carapace et de pinces sur une plaque de four avec les tomates et le fenouil. Arrosez d'huile d'olive, puis faites cuire 20 min en haut du four, afin de développer les arômes.

3 Sortez la plaque du four et mettez-la à feu moyen sur la cuisinière. Ajoutez l'eau-de-vie et flambez. Versez le vin et faites brièvement mijoter.

4 Mettez le contenu de la plaque dans un mixer et réduisez jusqu'à obtenir une purée épaisse : cela prend environ 10 à 15 s. Passez la purée dans un tamis et transférez-la dans une jatte. Incorporez la bisque de homard ou de crabes, l'estragon et la crème fraîche. Salez et poivrez selon votre goût.

5 Portez une casserole d'eau salée à ébullition et faites cuire les haricots verts 6 min. Égouttez et rafraîchissez sous l'eau du robinet. Pour couper les oranges en quartiers, enlevez le zeste avec un couteau à dents. Avec un petit couteau fin, séparez les quartiers de chair en enlevant les membranes blanches.

6 Arrosez les feuilles de mâche, de roquette et de frisée d'huile d'olive, puis répartissez sur quatre assiettes. Incorporez les queues de langoustines ou de crevettes à l'assaisonnement et versez sur les assiettes. Ajoutez les haricots verts, les quartiers d'oranges et les petites tomates. Enfin, décorez chaque assiette d'1 langoustine ou d'1 crevette entière et servez chaud.

Salade de homard

INGRÉDIENTS

Pour 4 personnes

1 homard moyen vivant ou cuit
1 feuille de laurier
1 brin de thym frais
675 g/1½ lb de pommes de terre
    nouvelles grattées
2 tomates mûres
4 oranges
½ frisée
175 g/6 oz de feuilles de mâche
60 ml/4 c. à soupe d'huile d'olive
    extra-vierge
200 g/7 oz de jeunes artichauts conservés
    dans de la saumure et coupés
    en quartiers
1 bouquet d'estragon, de cerfeuil
    ou de persil plat frais
sel

Pour l'assaisonnement

30 ml/2 c. à soupe de jus d'oranges
    concentré surgelé, décongelé
75 g/3 oz/6 c. à soupe de beurre coupé en
    petits morceaux
sel et poivre de Cayenne

1 Si vous disposez d'un homard vivant, plongez-le dans une casserole d'eau bouillante salée avec la feuille de laurier et le thym. Portez de nouveau à ébullition et faites mijoter 15 min. Rafraîchissez sous l'eau du robinet.

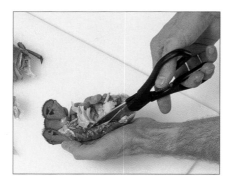

2 Enlevez les pattes et les pinces, et séparez la queue du corps. Brisez les pinces avec un marteau et retirez la chair. Coupez la queue par-dessous et sortez la chair.

3 Faites cuire les pommes de terre à l'eau bouillante salée environ 15 min. Égouttez, couvrez et gardez au chaud.

4 Incisez une croix sur la peau des tomates, recouvrez d'eau bouillante et laissez 30 s. Rafraîchissez sous l'eau du robinet, puis retirez la peau. Coupez les tomates en deux, ôtez les graines, puis taillez la chair en gros dés.

5 Pour couper les oranges en quartiers, enlevez le zeste avec un couteau à dents. En tenant le fruit au-dessus d'une petite jatte, séparez les quartiers en retirant les membranes blanches.

6 Pour l'assaisonnement, versez le jus d'oranges dans une jatte supportant la chaleur et placez-la au-dessus d'une casserole contenant 2,5 cm/1 po d'eau frémissante. Faites chauffer le jus 1 min, éteignez le feu, puis ajoutez le beurre, peu à peu, en fouettant, jusqu'à ce que l'assaisonnement soit assez épais pour bien enrober les aliments.

7 Salez et poivrez selon votre goût, couvrez et tenez au chaud.

8 Arrosez les feuilles de frisée et de mâche d'huile d'olive, puis répartissez dans quatre assiettes. Mouillez d'huile d'olive les pommes de terre, les artichauts et les quartiers d'oranges, puis disposez-les sur les feuilles de salades.

9 Coupez la chair du homard en tranches et dressez-les sur la salade. Ajoutez l'assaisonnement, puis les morceaux de tomates et décorez d'herbes fraîches. Servez à température ambiante.

Salade de calamars à la génoise

INGRÉDIENTS

Pour 4 à 6 personnes

450 g/1 lb de calamars préparés,
    coupés en rondelles

4 gousses d'ail grossièrement hachées

300 ml/½ pinte/1¼ tasses de vin
    rouge italien

450 g/1 lb de pommes de terre
    nouvelles grattées

225 g/8 oz de haricots verts équeutés
    et débités en petits morceaux

2 à 3 tomates séchées au soleil conservées
    dans l'huile, égouttées et coupées dans
    le sens de la longueur en fines tranches

60 ml/4 c. à soupe d'huile d'olive
    extra-vierge

15 ml/1 c. à soupe de vinaigre de vin rouge

sel et poivre noir moulu

1 Faites chauffer le four à 180 °C/350 °F. Disposez les rondelles de calamars dans un plat en terre cuite avec la moitié de l'ail, le vin et du poivre selon votre goût. Couvrez et faites cuire 45 min, jusqu'à ce que les calamars soient tendres.

2 Mettez les pommes de terre dans une casserole d'eau avec 1 bonne pincée de sel. Portez à ébullition, couvrez et faites mijoter environ 15 min, afin qu'elles soient tendres. Avec une écumoire, ôtez les pommes de terre et réservez. Mettez les haricots verts à cuire 3 min dans l'eau bouillante. Égouttez-les.

3 Quand les pommes de terre sont assez froides pour être tenues, coupez-les en rondelles épaisses et placez-les dans une jatte avec les haricots verts tièdes et les tomates. Dans un bol, mélangez l'huile, le vinaigre et le reste de l'ail en fouettant. Salez et poivrez. Versez sur le mélange de pommes de terre.

4 Égouttez les calamars et ajoutez-les au mélange de pommes de terre. Remuez délicatement, puis disposez sur des assiettes individuelles et poivrez généreusement.

CONSEIL

Les charlottes sont des pommes de terre parfaites pour cette salade parce qu'elles conservent leur forme, une fois bouillies. Vous trouverez des calamars tout prêts au rayon poissonnerie des supermarchés et chez les poissonniers.

Carpaccio de thon

Le carpaccio est souvent préparé avec du filet de bœuf, mais le thon en font une recette plus originale. Pour couper des tranches ultrafines, suivez la technique japonaise du sashimi, en congelant d'abord le poisson.

INGRÉDIENTS

Pour 4 personnes

2 steaks de thon frais d'un poids total
    d'environ 450 g/1 lb
60 ml/4 c. à soupe d'huile d'olive
    extra-vierge
15 ml/1 c. à soupe de vinaigre balsamique
5 ml/1 c. à thé de sucre en poudre
30 ml/2 c. à soupe de grains de poivre vert
    (en bouteille) ou de câpres égouttées
sel et poivre noir moulu
quartiers de citron et salade verte
    pour la décoration

1 Enlevez la peau du thon et placez chaque steak entre 2 feuilles de film alimentaire ou de papier sulfurisé. Passez légèrement dessus avec un rouleau à pâtisserie.

2 Enroulez les steaks de thon de façon aussi serrée que possible, puis enveloppez dans du film alimentaire. Laissez les steaks de thon 4 h au congélateur jusqu'à ce qu'ils soient fermes.

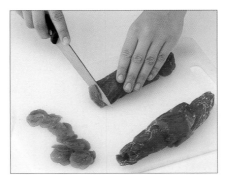

3 Retirez le thon du film alimentaire et coupez dans la largeur en tranches aussi fines que possible. Disposez les tranches sur des assiettes individuelles.

4 Fouettez l'huile, le vinaigre, le sucre et les grains de poivre ou les câpres, salez et versez sur le thon. Couvrez et laissez 30 min à température ambiante. Servez avec des quartiers de citron et de la salade verte.

CONSEIL

Le poisson cru peut être consommé sans danger à condition qu'il soit très frais. Vérifiez auprès de votre poissonnier avant de l'acheter, et préparez et servez le carpaccio le jour même. Ne prenez pas du poisson qui a déjà été congelé.

Mouclade

Spécialité charentaise généralement servie chaude, la mouclade consiste en un plat de moules nappées d'une sauce légère à la crème. Des lentilles tièdes et des épinards al dente *sont ici ajoutés pour donner une note printanière.*

Pour 4 personnes

2 kg/4½ lb de moules fraîches
    dans leurs coquilles
45 ml/3 c. à soupe d'huile d'olive
1 oignon moyen
350 g/12 oz/1½ tasses de lentilles
    sèches vertes
900 ml/1½ pintes/3¾ tasses de bouillon
    de légumes
75 ml/5 c. à soupe de vin blanc
2,5 ml/½ c. à thé de pâte de curry
1 pincée de safran
30 ml/2 c. à soupe de crème fraîche épaisse
2 carottes pelées
4 branches de céleri
900 g/2 lb de jeunes pousses
    d'épinards équeutées
15 ml/1 c. à soupe d'huile à l'ail
sel et poivre de Cayenne

1 Chauffez l'huile dans une casserole, puis mettez l'oignon à ramollir 6 à 8 min. Ajoutez les lentilles et le bouillon de légumes, portez à ébullition, puis faites mijoter 1 h. Retirez du feu et laissez refroidir.

2 Nettoyez bien les moules et jetez celles qui sont abîmées. Les moules ouvertes doivent se fermer si vous les frappez. Si ce n'est pas le cas, jetez-les.

3 Mettez les moules dans une casserole, ajoutez le vin, couvrez et faites cuire 12 min à la vapeur à feu vif. Versez les moules dans une passoire, en recueillant le jus de cuisson dans un bol, et jetez celles qui sont restées fermées pendant la cuisson. Sortez toutes les moules de leurs coquilles, sauf 4.

4 Tamisez le jus de cuisson afin d'ôter le sable et versez dans une casserole large et peu profonde.

5 Ajoutez la pâte de curry et le safran, puis faites réduire à feu vif jusqu'à ce que le mélange soit presque sec. Retirez du feu, incorporez la crème fraîche en tournant. Salez, poivrez et versez la sauce sur les moules.

6 Coupez les carottes et le céleri en allumettes de 5 cm/2 po et faites cuire 3 min dans l'eau bouillante salée. Égouttez, laissez refroidir et arrosez d'huile d'olive.

7 Lavez les feuilles d'épinards, mettez-les dans une casserole, couvrez et faites cuire 30 s à la vapeur. Plongez les feuilles dans de l'eau froide, puis égouttez. Arrosez d'huile à l'ail, salez et poivrez.

8 Mettez les lentilles au centre de quatre assiettes. Placez des nids d'épinards sur le bord, avec des allumettes de carottes et de céleri. Disposez les moules sur les lentilles et décorez des 4 moules réservées.

Salade de crevettes aux papayes

Voyagez en Extrême-Orient avec ce merveilleux plat où la papaye juteuse voisine avec de succulentes queues de crevettes, le tout arrosé d'une sauce épicée à la noix de coco.

INGRÉDIENTS

Pour 4 à 6 personnes

225 g/8 oz de crevettes « bouquets » crues ou cuites, décortiquées et leurs veines retirées

2 papayes mûres

225 g/8 oz d'un mélange de feuilles de romaine, de chou chinois et de jeunes pousses d'épinards

1 tomate ferme pelée, égrenée et coupée en dés

3 oignons nouveaux débités en fines lamelles

1 bouquet de coriandre fraîche hachée

1 gros piment coupé en rondelles pour la décoration

Pour l'assaisonnement

15 ml/1 c. à soupe de crème de noix de coco

90 ml/6 c. à soupe d'huile végétale

jus d'1 citron vert

2,5 ml/½ c. à thé de sauce forte au piment

10 ml/2 c. à thé de nuoc-mâm (facultatif)

5 ml/1 c. à thé de sucre en poudre

1 Pour l'assaisonnement, mettez la crème de noix de coco dans un bocal dont le couvercle se visse et ajoutez 30 ml/2 c. à soupe d'eau bouillante pour la ramollir. Incorporez l'huile, le jus de citron vert, la sauce au piment, éventuellement le nuoc-mâm, et le sucre. Fermez, agitez et réservez. Ne mettez pas au réfrigérateur.

2 Si vous utilisez des crevettes crues, placez-les dans une casserole d'eau froide. Portez à ébullition, puis faites cuire à feu doux (pas plus de 2 min). Égouttez-les et réservez.

3 Coupez les papayes en deux dans la longueur et ôtez les graines noires. Épluchez et débitez la chair en morceaux de taille égale.

4 Mettez les feuilles de salades dans un saladier. Ajoutez les crevettes, les papayes, la tomate et les oignons. Versez l'assaisonnement, décorez de coriandre et de piment.

Salade de poulet rôti aux noix

Le poulet peut être cuit la veille et la salade préparée le jour même. Servez avec des croûtons à l'ail.

INGRÉDIENTS

Pour 8 personnes

2 poulets d'1,75 kg/4 à 4½ lb chacun

115 g/4 oz/1 tasse de cerneaux de noix

4 brins d'estragon ou de romarin frais

65 g/2½ oz/5 c. à soupe de beurre fondu

150 ml/¼ pinte/⅔ tasse de bouillon
    de poulet

150 ml/¼ pinte/⅔ tasse de vin blanc

1 petit melon

feuilles de laitue

450 g/1 lb de raisins épépinés
    ou de cerises dénoyautées

sel et poivre noir moulu

Pour l'assaisonnement

30 ml/2 c. à soupe de vinaigre à l'estragon

120 ml/4 oz/½ tasse d'huile d'olive légère

30 ml/2 c. à soupe d'herbes fraîches
    mélangées, hachées (persil,
    menthe, estragon)

1 Préchauffez le four à 200 °C/ 400 °F. Farcissez les poulets de brins d'estragon ou de romarin. Salez et poivrez.

2 Enduisez les poulets de 50 g/ 2 oz/4 c. à soupe de beurre fondu, mettez-les sur une plaque de four et versez le bouillon. Couvrez avec du papier aluminium et faites cuire environ 1 h 30 au four, en arrosant deux fois, jusqu'à ce que les poulets soient dorés et le jus clair. Retirez de la plaque et laissez refroidir.

3 Ajoutez le vin sur la plaque. Portez à ébullition sur la cuisinière et faites cuire jusqu'à obtention d'une consistance sirupeuse. Faites fondre le reste du beurre dans une poêle et mettez à dorer les noix à petit feu. Débitez la chair du melon en billes ou en dés. Désossez les poulets et coupez-les.

4 Pour l'assaisonnement, mélangez le vinaigre et l'huile d'olive en fouettant avec un peu de sel et de poivre. Dégraissez le jus des poulets, puis incorporez-le à l'assaisonnement et aux herbes. Rectifiez éventuellement l'assaisonnement.

5 Disposez les morceaux de poulets sur un lit de feuilles de laitue. Éparpillez le melon, les raisins ou les cerises, et arrosez avec l'assaisonnement. Saupoudrez de noix grillées et servez.

Salade de foies de poulet

Cette salade délicieuse peut être proposée en plat principal pour un déjeuner estival ou en entrée. Les foies de poulet, très goûteux, sont rehaussés par un assaisonnement sucré et tonique, à base de miel et de moutarde « à l'ancienne ».

INGRÉDIENTS

Pour 4 personnes

mélange de feuilles de salades variées
(frisée, feuille de chêne, laitue,
chicorée de Trévise)
350 g/12 oz de foies de poulet
1 avocat débité en dés
30 ml/2 c. à soupe de jus de citron
2 pamplemousses roses
30 ml/2 c. à soupe d'huile d'olive
1 gousse d'ail écrasée
sel et poivre noir moulu
brins de ciboulette fraîche
pour la décoration

Pour l'assaisonnement

30 ml/2 c. à soupe de jus de citron
60 ml/4 c. à soupe d'huile d'olive
2,5 ml/½ c. à thé de moutarde
« à l'ancienne »
2.5 ml/½ c. à thé de miel liquide
15 ml/1 c. à soupe de ciboulette
fraîche hachée
sel et poivre noir moulu

2 Lavez et essorez les feuilles du mélange de salades variées, puis disposez-les harmonieusement sur un plat.

3 Pelez et débitez l'avocat en dés. Enrobez-le de jus de citron pour l'empêcher de s'oxyder. Ajoutez l'avocat au plat de salades.

4 Pelez les pamplemousses en enlevant le plus de membranes blanches possibles. Partagez-les en quartiers et disposez-les sur le plat.

5 Séchez les foies de poulet sur du papier absorbant et parez-les.

7 Chauffez l'huile dans une poêle. Faites revenir les foies et l'ail à feu vif jusqu'à ce qu'ils soient dorés (ils doivent cependant rester un peu rosés à l'intérieur).

8 Salez et poivrez les foies, retirez de la poêle et séchez-les sur du papier absorbant.

9 Déposez les foies de poulet encore chauds sur les feuilles de salades et arrosez d'assaisonnement. Décorez de brins de ciboulette et servez immédiatement.

1 Mettez le jus de citron, l'huile d'olive, la moutarde, le miel et la ciboulette fraîche dans un bocal dont le couvercle se visse. Fermez et agitez vigoureusement. Salez et poivrez selon votre goût.

6 Avec un couteau bien aiguisé, coupez les gros foies de poulet en deux. Laissez les plus petits morceaux entiers.

Salade de poulet grillé à la lavande

La lavande peut paraître incongrue dans une salade, mais son délicieux parfum se marie formidablement bien avec celui de l'ail et de l'orange.

INGRÉDIENTS

Pour 4 personnes

4 blancs de poulet désossés

900 ml/1½ pintes/3¾ tasses de bouillon de poulet léger

175 g/6 oz/1 tasse de polenta fine ou de semoule de blé

50 g/2 oz/4 c. à soupe de beurre

450 g/1 lb de jeunes pousses d'épinards

175 g/6 oz de feuilles de mâche

8 petites tomates coupées en deux

sel et poivre noir moulu

8 brins de lavande fraîche pour la décoration

Pour la marinade à la lavande

6 fleurs fraîches de lavande

2 gousses d'ail écrasées

10 ml/2 c. à thé de miel liquide

10 ml/2 c. à thé de zeste d'orange finement râpé

30 ml/2 c. à soupe d'huile d'olive

10 ml/2 c. à thé de thym frais haché

10 ml/2 c. à thé de marjolaine fraîche hachée

sel

2 Portez le bouillon à ébullition dans une casserole. Ajoutez la polenta ou la semoule de blé en un jet régulier, en tournant constamment jusqu'à ce qu'elle épaississe (cela prend 2 à 3 min). Étalez la polenta ou la semoule sur une plaque beurrée, sur une épaisseur de 2,5 cm/1 po, et laissez refroidir.

4 Avec un couteau mouillé, coupez la polenta ou la semoule refroidie en dés. Chauffez le reste du beurre dans une poêle et dorez les dés de polenta ou de semoule.

3 Chauffez le gril du four (si vous utilisez un barbecue, laissez les braises diminuer). Faites griller les blancs de poulet environ 15 min en les retournant une fois.

5 Répartissez les feuilles d'épinards et de mâche, ainsi que les tomates, sur quatre assiettes. Coupez chaque blanc de poulet en tranches et disposez-les sur la salade. Ajoutez les dés de polenta ou de semoule et assaisonnez selon votre goût. Décorez de brins de lavande et servez.

1 Détachez les fleurs de lavande de leur tige et mélangez-les avec l'ail, le miel, 1 pincée de sel et le zeste d'orange. Ajoutez l'huile d'olive, le thym et la marjolaine. Incisez profondément les blancs de poulet, badigeonnez-les du mélange et laissez mariner au moins 20 min dans un endroit frais.

CONSEIL

La marinade à la lavande parfume aussi délicieusement le poisson d'eau de mer que le poulet. Goûtez-la avec de la morue, du haddock, du flétan, de la daurade ou de la brème de mer, grillés.

Salade de poulet à la dijonnaise

*Ce plat classique est un régal.
Simple mais néanmoins raffiné,
il est idéal pour le déjeuner.
Accompagnez-le de feuilles de
salade supplémentaires et de pain
chaud aux herbes et à l'ail.*

INGRÉDIENTS

Pour 4 personnes

4 blancs de poulet désossés, sans la peau
mélange de feuilles de salades variées
   (frisée, feuille de chêne ou chicorée
   de Trévise)

Pour la marinade

30 ml/2 c. à soupe de vinaigre de vin
   à l'estragon
5 ml/1 c. à thé de moutarde de Dijon
5 ml/1 c. à thé de miel liquide
90 ml/6 c. à soupe d'huile d'olive
sel et poivre noir moulu

Pour l'assaisonnement

30 ml/2 c. à soupe de moutarde de Dijon
3 gousses d'ail écrasées
15 ml/1 c. à soupe d'oignon râpé
60 ml/4 c. à soupe de vin blanc

1 Pour la marinade, mélangez le vinaigre, la moutarde, le miel, l'huile d'olive, le sel et le poivre dans un plat en verre ou en terre cuite peu profond, suffisamment grand pour que les blancs de poulet y tiennent en une seule couche.

2 Ajoutez les blancs de poulet, en vous assurant qu'ils ne se chevauchent pas.

3 Enduisez bien le poulet de marinade. Couvrez le plat de film alimentaire et laissez une nuit au réfrigérateur.

4 Faites chauffer le four à 190 °C/375° F. Transférez le poulet et la marinade dans un plat allant au four, recouvrez de papier aluminium et faites cuire environ 35 min jusqu'à ce que le poulet soit tendre.

5 Pour l'assaisonnement, mettez tous les ingrédients dans un bocal dont le couvercle se visse. Fermez et agitez vigoureusement.

6 Coupez le poulet en fines tranches et laissez-les accolées.

7 Disposez les tranches de poulet sur un plat avec les feuilles de salades. Versez un peu d'assaisonnement dessus et servez. Présentez le reste de l'assaisonnement dans un bol ou une saucière à part.

CONSEIL

L'assaisonnement peut
être préparé plusieurs jours
à l'avance et conservé
au réfrigérateur.

Salade de canard et de pâtes

Le canard, viande très goûteuse, s'accommode bien de fruits, dont l'acidité aide à le digérer. Cette luxueuse salade comprend de la pomme, des oranges et, dans l'assaisonnement, des cerises sèches. Avec les pâtes qui entrent également dans sa composition, elle constitue un véritable repas.

INGRÉDIENTS

Pour 6 personnes

2 magrets de canard désossés

350 g/12 oz de rigatonis

5 ml/1 c. à thé de graines
    de coriandre écrasées

1 pomme taillée en dés

2 oranges coupées en quartiers

sel et poivre noir moulu

coriandre et menthe fraîches hachées
    pour la décoration

Pour l'assaisonnement

150 ml/¼ pinte/⅔ tasse de jus d'oranges

15 ml/1 c. à soupe de jus de citron

10 ml/2 c. à thé de miel liquide

1 échalote finement hachée

1 gousse d'ail écrasée

1 branche de céleri hachée

75 g/3 oz de cerises sèches

45 ml/3 c. à soupe de porto

15 ml/1 c. à soupe de menthe
    fraîche hachée

30 ml/2 c. à soupe de coriandre
    fraîche hachée

1 Chauffez le gril du four. Enlevez la peau et la graisse des magrets de canard. Salez et poivrez. Frottez avec les graines de coriandre écrasées.

2 Passez les magrets sous le gril, 7 à 10 min selon leur taille. Enveloppez-les dans du papier aluminium et laissez reposer 20 min.

3 Faites cuire les rigatonis *al dente* dans une casserole d'eau bouillante salée. Égouttez bien et rincez à l'eau fraîche. Laissez refroidir.

4 Pour l'assaisonnement, mettez les jus d'oranges et de citron, le miel, l'échalote, l'ail, le céleri, les cerises, le porto, la menthe et la coriandre fraîches dans une jatte. Fouettez et laissez mariner 30 min.

5 Sortez les magrets de canard du papier aluminium et, avec un couteau aiguisé, coupez-les en tranches très fines. La viande doit être légèrement rose au centre.

6 Transférez les rigatonis dans une jatte, ajoutez l'assaisonnement, les morceaux de pomme et les quartiers d'oranges. Mélangez.

7 Disposez la salade de pâtes et les tranches de canard dans un saladier. Décorez de coriandre et de menthe, puis servez.

Salade de canard à l'orange

Le canard, au goût prononcé rappelant celui du gibier, constitue la base de cette salade délicieuse, au parfum d'orange. Des croûtons à l'ail apportent une texture croustillante supplémentaire.

INGRÉDIENTS

Pour 4 personnes

2 magrets de canard

1 petite orange

150 ml/¼ pinte/⅔ tasse de vin blanc sec

5 ml/1 c. à thé de graines de coriandre

2,5 ml/½ c. à thé de graines de cumin
    ou de fenouil moulues

30 ml/2 c. à soupe de sucre en poudre

jus d'½ citron vert ou jaune

75 g/3 oz de pain rassis coupé
    en tranches épaisses

45 ml/3 c. à soupe d'huile à l'ail

½ scarole

½ frisée

30 ml/2 c. à soupe d'huile de tournesol
    ou d'arachide

sel et poivre de Cayenne

4 brins de coriandre pour la décoration

1 Coupez l'orange en deux, puis en tranches épaisses. Jetez les pépins et mettez les tranches dans une casserole. Recouvrez d'eau, portez à ébullition et faites mijoter 5 min pour éliminer l'amertume. Égouttez et réservez.

2 Avec un bon couteau, incisez la peau des magrets de canard en biais, pour aider à éliminer la graisse. Frottez la peau avec du sel.

3 Chauffez une poêle en acier ou en fonte à feu moyen, et faites revenir les magrets 20 min, en les retournant une fois, jusqu'à ce qu'ils soient à point. Transférez sur un plat, couvrez et tenez au chaud.

4 Faites revenir le jus de cuisson dans une poêle jusqu'à ce qu'il commence à brunir et à caraméliser. Délayez avec le vin. Ajoutez les graines moulues de coriandre, de cumin ou de fenouil, le sucre et les tranches d'orange.

5 Faites rapidement bouillir et réduire. Incorporez le jus de citron vert ou jaune. Salez et poivrez selon votre goût. Versez la sauce à l'orange dans un bol, couvrez et tenez au chaud.

6 Enlevez la croûte du pain et coupez-le en bâtonnets. Faites chauffer l'huile à l'ail dans une sauteuse et mettez à revenir les croûtons. Salez, puis égouttez-les sur du papier absorbant.

7 Arrosez les feuilles de scarole et de frisée d'un peu d'huile de tournesol ou d'arachide et répartissez-les sur quatre assiettes.

8 Avec un couteau aiguisé, coupez les magrets de canard en biais. Disposez la viande sur les feuilles de salades et arrosez de sauce à l'orange. Parsemez de croûtons, décorez d'1 brin de coriandre fraîche. Servez bien chaud.

Salade de canard et de nouilles au sésame

Cette salade constitue à elle seule un formidable repas estival. La marinade consiste en un mélange exquis de saveurs orientales.

Pour 4 personnes

2 magrets de canard

225 g/8 oz de nouilles aux œufs

15 ml/1 c. à soupe d'huile

150 g/5 oz de pois gourmands

2 carottes coupées en bâtonnets
de 7,5 cm/3 po

6 oignons nouveaux coupés en tranches

sel

30 ml/2 c. à soupe de feuilles de coriandre
fraîche pour la décoration

Pour la marinade

15 ml/1 c. à soupe d'huile de sésame

5 ml/1 c. à thé de coriandre moulue

5 ml/1 c. à thé de poudre de cinq-épices

Pour l'assaisonnement

15 ml/1 c. à soupe de vinaigre

5 ml/1 c. à thé de sucre de canne

5 ml/1 c. à thé de sauce au soja

1 gousse d'ail écrasée

15 ml/1 c. à soupe de graines
de sésame grillées

45 ml/3 c. à soupe d'huile de tournesol

30 ml/2 c. à soupe d'huile de sésame

poivre noir moulu

1 Incisez légèrement les magrets de canard en biais et disposez-les dans un plat peu profond. Mélangez les ingrédients de la marinade, versez sur le canard et retournez afin de bien l'imprégner. Couvrez et laissez 30 min dans un endroit frais.

2 Faites chauffer l'huile dans une poêle, et mettez les magrets de canard à revenir 3 à 4 min de chaque côté, jusqu'à ce qu'ils soient cuits. Réservez.

3 Portez à ébullition une casserole d'eau légèrement salée. Quand l'eau bout, mettez les nouilles dedans. Au-dessus, faites cuire à la vapeur les pois gourmands et les carottes dans un récipient qui supporte la chaleur.

4 Réservez les légumes. Égouttez les nouilles, rafraîchissez sous l'eau du robinet et égouttez de nouveau. Transférez dans un plat creux.

5 Mélangez le vinaigre, le sucre, la sauce au soja, l'ail et les graines de sésame dans un bol. Ajoutez une bonne dose de poivre moulu, puis les huiles en fouettant.

6 Versez l'assaisonnement sur les nouilles et mélangez bien. Incorporez les pois gourmands, les carottes, les oignons nouveaux et les magrets de canard coupés en tranches. Parsemez de feuilles de coriandre et servez aussitôt.

Salade de prosciutto et d'avocats

Les avocats entrent dans la composition de nombreuses salades : ils peuvent être garnis de crabe, de crevettes ou de petits légumes, coupés en tranches ou en dés, ou encore constituer la base de sauces onctueuses. Ils sont particulièrement décoratifs, taillés en fines lamelles se chevauchant légèrement.

INGRÉDIENTS

Pour 4 personnes

3 avocats

150 g/5 oz de *prosciutto*

75 à 115 g/3 à 4 oz de feuilles de roquette

24 olives noires marinées égouttées

Pour l'assaisonnement

15 ml/1 c. à soupe de vinaigre balsamique

5 ml/1 c. à thé de jus de citron

5 ml/1 c. à thé de moutarde

5 ml/1 c. à thé de sucre en poudre

75 ml/5 c. à soupe d'huile d'olive

sel et poivre noir moulu

1 Mélangez le vinaigre balsamique, le jus de citron, la moutarde et le sucre dans un bol. Versez l'huile en fouettant. Salez, poivrez et réservez.

2 Coupez 2 avocats en deux, enlevez le noyau et la peau, puis émincez la chair en tranches d'1 cm/½ po. Mélangez-les à la moitié de l'assaisonnement. Disposez le *prosciutto*, les tranches d'avocats et les feuilles de roquette sur quatre assiettes. Ajoutez quelques olives et le reste de l'assaisonnement.

3 Partagez le troisième avocat en deux, ôtez le noyau et la peau. Fendez chaque moitié en huit dans le sens de la longueur. Passez doucement un couteau cannelé sur les quartiers, à 1 cm/½ po d'intervalle, pour créer des rayures régulières.

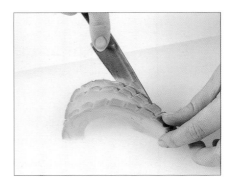

4 Pratiquez 4 incisions dans la longueur de chaque huitième d'avocat, en laissant 1 cm/½ po intact au bout. Décorez les assiettes en disposant les tranches d'avocats en éventail sur le côté.

Salade de melon et de jambon de Parme

Des morceaux de melon frais et odorant, recouverts de tranches de jambon cru, constituent une délicieuse entrée. En saison, préparez une sauce aux fraises fraîche.

INGRÉDIENTS

Pour 4 personnes

1 gros melon

175 g/6 oz de jambon de Parme coupé
   en fines tranches

Pour la sauce

225 g/8 oz de fraises

5 ml/1 c. à thé de sucre en poudre

30 ml/2 c. à soupe d'huile d'arachide
   ou de tournesol

2,5 ml/½ c. à thé de racine de gingembre
   frais, finement râpée

15 ml/1 c. à soupe de jus d'orange et
   2,5 ml/½ c. à thé de zeste d'orange
   finement râpé

sel et poivre noir moulu

1 Coupez le melon en deux et enlevez les graines avec une cuillère. Ôtez la peau avec un couteau et débitez la chair en tranches épaisses. Laissez au réfrigérateur jusqu'au moment de servir.

2 Équeutez les fraises et coupez-les en dés. Mettez-les dans une jatte avec le sucre et écrasez légèrement pour en extraire le jus. Ajoutez l'huile, le gingembre, le jus et le zeste d'orange. Salez et ajoutez une bonne dose de poivre moulu.

3 Disposez les tranches de melon sur un plat, puis parsemez de jambon. Servez la sauce séparément dans un bol.

Salade de champignons au jambon de Parme

L'automne offre de nombreux ingrédients pour les salades, en particulier les champignons sauvages provenant de forêts aux feuilles caduques. Si vous connaissez mal les espèces comestibles, les marchés, les supermarchés et les épiceries spécialisées en vendent souvent une gamme étendue.

INGRÉDIENTS

Pour 4 personnes

175 g/6 oz de jambon de Parme coupé
    en tranches épaisses

45 ml/3 c. à soupe de beurre

450 g/1 lb de champignons sauvages
    ou cultivés, débités en tranches
    (chanterelles, lactaires des prés
    ou champignons de Paris)

60 ml/4 c. à soupe d'eau-de-vie

½ feuille de chêne

½ frisée

15 ml/1 c. à soupe d'huile de noix

sel et poivre noir moulu

Pour les galettes aux herbes

45 ml/3 c. à soupe de farine

75 ml/5 c. à soupe de lait

1 œuf entier et 1 jaune

60 ml/4 c. à soupe de parmesan râpé

45 ml/3 c. à soupe d'un mélange d'herbes
    fraîches hachées (persil, thym, estragon,
    marjolaine, ciboulette)

sel et poivre noir moulu

1 Pour les galettes, mélangez la farine et le lait dans un récipient. Incorporez en battant l'œuf entier et le jaune d'œuf, le parmesan, les herbes et l'assaisonnement. Versez une quantité suffisante du mélange pour recouvrir le fond d'une poêle anti-adhésive et faites cuire à feu modéré.

2 Quand le mélange se solidifie, retournez la galette et faites cuire brièvement de l'autre côté. Sortez la galette et laissez-la refroidir. Recommencez jusqu'à ce qu'il ne reste plus de pâte.

3 Roulez ensemble toutes les galettes et coupez-les en rubans d'1 cm/½ po. Mélangez avec le jambon de Parme débité en lanières de la même taille. Chauffez le beurre dans une poêle. Lorsqu'il commence à mousser, mettez les champignons à revenir 6 à 8 min.

4 Versez l'eau-de-vie et flambez (les flammes baisseront quand l'alcool aura totalement brûlé). Arrosez les feuilles de salades d'huile de noix et répartissez sur quatre assiettes. Disposez les lanières de jambon et de galette au centre, ajoutez les champignons. Salez, poivrez et servez cette salade chaude.

Bœuf à la salade de pâtes aux herbes

Après avoir mariné, le bœuf maigre et tendre est légèrement grillé et servi chaud avec une salade de pâtes aux herbes.

Pour 6 personnes

450 g/1 lb de filet de bœuf

450 g/1 lb de tagliatelles fraîches, mélangées à des tomates séchées au soleil et à des herbes

115 g/4 oz de tomates cerises

½ concombre

Pour la marinade

15 ml/1 c. à soupe de sauce au soja

15 ml/1 c. à soupe de xérès

5 ml/1 c. à thé de racine de gingembre frais, râpée

1 gousse d'ail écrasée

Pour l'assaisonnement aux herbes

30 à 45 ml/2 à 3 c. à soupe de raifort

150 ml/¼ pinte/⅔ tasse de yaourt nature

1 gousse d'ail écrasée

30 à 45 ml/2 à 3 c. à soupe d'un mélange d'herbes fraîches hachées (ciboulette, persil, thym)

sel et poivre noir moulu

1 Pour la marinade, mélangez tous les ingrédients dans une jatte peu profonde. Ajoutez le filet de bœuf et faites-le bien tremper de tous les côtés. Recouvrez de film alimentaire et laissez mariner 30 min pour que la viande s'imprègne des saveurs.

2 Chauffez le gril du four. Sortez le filet de bœuf de la marinade et essuyez-le au papier absorbant. Faites griller le filet 8 min de chaque côté, en le badigeonnant de marinade en cours de cuisson.

3 Déposez le filet de bœuf sur une assiette, couvrez de papier aluminium et laissez reposer 20 min.

4 Mettez tous les ingrédients de l'assaisonnement dans un bol et mélangez. Faites cuire les tagliatelles *al dente*. Égouttez-les bien, rincez-les à l'eau froide et égouttez-les de nouveau.

5 Coupez les tomates cerises en deux. Partagez le concombre en deux dans la longueur, puis retirez les graines et débitez la chair en minces quartiers.

6 Transférez les tagliatelles, les tomates et le concombre dans un saladier. Ajoutez l'assaisonnement et mélangez. Coupez le filet de bœuf en tranches et disposez-les sur des assiettes individuelles. Répartissez la salade de tagliatelles et servez chaud.

Salade « rockburger » aux croûtons

Cette salade est un clin d'œil à l'un des grands classiques de la cuisine américaine : le hamburger avec du pain au sésame. La viande est farcie au roquefort.

INGRÉDIENTS

Pour 4 personnes

900 g/2 lb de bœuf maigre haché
1 boule de pain aux graines de sésame
1 œuf
1 oignon moyen finement haché
115 g/4 oz de roquefort ou de fromage bleu
10 ml/2 c. à thé de moutarde de Dijon
2,5 ml/½ c. à thé de sel au céleri
45 ml/3 c. à soupe d'huile d'olive
50 g/2 oz de feuilles de roquette ou
   de cresson
1 laitue
120 ml/4 oz/½ tasse de vinaigrette
4 tomates mûres coupées en quartiers
4 gros oignons nouveaux taillés en dés
poivre noir moulu

1 Mettez le bœuf haché, l'œuf, l'oignon, la moutarde, le sel au céleri et le poivre dans une jatte. Malaxez bien. Divisez le mélange en 16 portions égales.

2 Aplatissez les portions entre des feuilles de papier sulfurisé, en cercles de 13 cm/5 po de diamètre.

3 Répartissez le roquefort entre 8 portions. Recouvrez des portions restantes et pressez fermement sur les bords. Placez les hamburgers dans des feuilles de papier sulfurisé et laissez au réfrigérateur jusqu'au moment de les faire cuire.

4 Pour les croûtons au sésame, préchauffez le gril du four à une température modérée. Retirez la mie de la boule de pain et coupez la croûte en bâtonnets. Arrosez d'huile d'olive et faites griller régulièrement 10 à 15 min.

5 Grillez les hamburgers 10 min au four, à la même température, en les retournant une fois.

6 Mélangez les feuilles de roquette ou de cresson et de laitue avec la vinaigrette, et répartissez sur quatre assiettes. Disposez 2 « rockburgers » au centre de chaque assiette et ajoutez sur le bord les tomates, les oignons nouveaux et les croûtons au sésame.

CONSEIL

Si vous ne disposez pas de boule au sésame, utilisez de la baguette. Coupez-la en tranches d'environ 1 cm/½ po et, avec un pinceau, badigeonnez d'huile d'olive. Posez-les sur une plaque de four. Laissez environ 15 min au four jusqu'à ce que le pain soit doré et croustillant.

LES DESSERTS
DE FRUITS

Salade de fruits frais

Cette salade de fruits classique est toujours appréciée, surtout après un repas riche. Elle se prête à d'infinies variations : si ce n'est pas la saison des pêches et des fraises, choisissez des bananes, des raisins ou n'importe quel autre fruit.

INGRÉDIENTS

Pour 6 personnes

2 pommes

2 oranges

2 pêches

16 à 20 fraises

30 ml/2 c. à soupe de jus de citron

15 à 30 ml/1 à 2 c. à soupe d'eau de fleurs d'oranger

sucre glace (facultatif)

quelques feuilles de menthe pour la décoration

1 Épluchez et évidez les pommes. Coupez-les en tranches fines. Pelez les oranges avec un bon couteau, en ôtant les membranes blanches. Taillez-les en quartiers, en recueillant le jus dans un bol.

2 Plongez les pêches 1 min dans de l'eau bouillante, ôtez la peau, puis débitez la chair en tranches épaisses, en retirant le noyau.

3 Équeutez les fraises et coupez-les en deux, ou en quatre si elles sont grosses. Mettez tous les fruits dans un saladier.

4 Mélangez le jus de citron, l'eau de fleurs d'oranger et le jus des oranges. Ajoutez éventuellement un peu de sucre glace. Versez ce mélange sur la salade de fruits et servez décoré de feuilles de menthe.

Salade de fruits frais et secs

Ce merveilleux mélange de fruits frais et secs constitue un excellent dessert tout au long de l'année. Durant l'hiver, des framboises et des mûres surgelées remplacent les fraîches.

INGRÉDIENTS

Pour 4 personnes

115 g/4 oz/½ tasse d'abricots secs

115 g/4 oz/½ tasse de pêches sèches

1 poire

1 pomme

1 orange

115 g/4 oz/⅔ tasse d'un mélange de framboises et de mûres

1 bâton de cannelle

50 g/2 oz/¼ tasse de sucre en poudre

15 ml/1 c. à soupe de miel liquide

15 ml/1 c. à soupe de jus de citron

1 Faites tremper les abricots et les pêches 1 à 2 h dans de l'eau jusqu'à ce qu'ils gonflent. Égouttez et coupez-les en deux ou en quatre. Pelez et évidez la poire et la pomme, et débitez-les en dés.

2 Pelez l'orange avec un bon couteau, en enlevant les membranes blanches, et détachez les quartiers. Mettez tous les fruits, y compris les framboises et les mûres, dans une casserole.

3 Ajoutez 600 ml/1 pinte/ 2½ tasses d'eau, le bâton de cannelle, le sucre et le miel, et portez à ébullition. Couvrez et faites mijoter 10 à 12 min, puis retirez la casserole du feu.

4 Incorporez le jus de citron en tournant. Laissez refroidir, puis versez dans une jatte. Mettez la salade au réfrigérateur pendant 1 à 2 h avant de servir.

Salade de fruits verts

Cette salade de fruits, simple et raffinée, est délicieuse toute l'année.

INGRÉDIENTS

Pour 6 personnes

3 melons

115 g/4 oz de raisins verts sans pépins

2 kiwis

1 pomme verte

1 carambole

1 citron vert

175 ml/6 oz/¾ tasse de jus
  de raisin mousseux

1 Coupez les melons en deux et enlevez les graines. En gardant la coque des melons intacte, retirez la chair à l'aide d'une cuillère, puis débitez-la en billes ou en dés. Réservez les coques des melons.

2 Détachez les grains de raisins et, s'ils sont gros, coupez-les en deux. Pelez et hachez les kiwis. Évidez la pomme, puis coupez-la en tranches fines, de même que la carambole. Mettez tous les fruits dans une jatte.

3 Coupez le zeste du citron vert et émincez-le en fines lamelles. Ébouillantez-les 30 s, égouttez et rincez à l'eau froide. Pressez le jus du citron vert et versez-le dans la jatte de fruits.

4 Répartissez les fruits préparés dans les coques de melons réservées et laissez au réfrigérateur. Juste avant de servir, arrosez les fruits de jus de raisin mousseux et décorez de lamelles de zeste de citron vert.

CONSEIL

S'il fait très chaud, présentez les coques de melon garnies sur de la glace pilée, afin qu'elles restent fraîches.

Salade de fruits d'hiver

Cette salade de fruits est colorée, rafraîchissante et nutritive.

INGRÉDIENTS

Pour 6 personnes

225 g/8 oz de dés d'ananas conservés
   dans leur jus

200 ml/7 oz/⅞ tasse de jus d'oranges
   fraîchement pressées

200 ml/7 oz/⅞ tasse de jus de pommes
   non sucré

30 ml/2 c. à soupe de liqueur à l'orange
   ou à la pomme

30 ml/2 c. à soupe de miel
   liquide (facultatif)

2 oranges pelées

2 pommes vertes coupées en quartiers

2 poires coupées en quartiers

4 prunes dénoyautées et hachées

12 dattes fraîches dénoyautées et hachées

115 g/4 oz/½ tasse d'abricots secs

brins de menthe fraîche
   pour la décoration

1 Égouttez les dés d'ananas. Versez le jus d'ananas, le jus d'oranges, le jus de pommes, la liqueur et, le cas échéant, le miel dans une jatte et mélangez.

CONSEIL

Vous pouvez remplacer les jus de pommes et d'oranges par des jus de fruits non sucrés, tels ceux de pamplemousses roses ou de citrons.

2 Coupez les oranges en quartiers et recueillez éventuellement leur jus dans la jatte. Mettez les quartiers d'oranges et l'ananas dans le mélange de jus de fruits.

3 Ajoutez les pommes et les poires coupées en quartiers.

4 Incorporez les prunes, les dattes et les abricots secs en remuant. Couvrez et laissez plusieurs heures au réfrigérateur. Décorez de brins de menthe fraîche et servez.

Salade italienne de fruits glacés

Si vous allez l'été en Italie, vous verrez dans la rue des marchands de délectables coupelles de fruits macérés. Elles peuvent aussi constituer de merveilleuses glaces.

INGRÉDIENTS

Pour 6 personnes

900 g/2 lb d'un mélange de fruits estivaux
   (fraises, framboises, groseilles, melons,
   myrtilles, pêches, abricots, prunes)
jus de 3 à 4 oranges
jus d'1 citron
15 ml/1 c. à soupe de concentré liquide
   de poires et de pommes
60 ml/4 c. à soupe de crème fraîche
   à fouetter
30 ml/2 c. à soupe de liqueur
   à l'orange (facultatif)
brins de menthe fraîche
   pour la décoration

1 Préparez les fruits selon leur nature. Coupez-les en morceaux relativement petits.

2 Mettez les fruits dans un saladier et recouvrez-les de jus d'oranges. Ajoutez le jus de citron et laissez 2 h au réfrigérateur.

3 Réservez la moitié des fruits macérés. Mixez le reste.

4 Réchauffez le concentré de poires et de pommes à feu doux et mélangez-le à la purée de fruits. Fouettez la crème fraîche et incorporez-la, puis ajoutez éventuellement la liqueur à l'orange.

5 Faites tourner le mélange dans une sorbetière. Ou mettez-le dans un récipient approprié et laissez-le au congélateur jusqu'à ce que des cristaux de glace se forment sur le bord, puis battez le mélange afin qu'il soit homogène.

6 Répétez l'opération une ou deux fois, puis laissez au congélateur jusqu'à ce que le mélange soit ferme.

7 Laissez se ramollir légèrement au réfrigérateur. Agrémentez des fruits macérés réservés, décorez de brins de menthe et servez.

CONSEIL

Les fruits macérés constituent aussi une boisson délicieuse. Passez-les au mixer, puis pressez dans un tamis.

Salade de pastèque et de pamplemousses

Ce savoureux mélange de fruits rosés, léger et rafraîchissant, est idéal pour terminer un repas estival.

INGRÉDIENTS

Pour 4 personnes

450 g/1 lb/2 tasses de chair de pastèque
2 pamplemousses roses
2 tranches fines de gingembre au sirop

1 Retirez les graines de la pastèque et coupez la chair en petits morceaux.

2 Avec un bon couteau, enlevez la peau et la membrane blanche des pamplemousses, puis détachez soigneusement les quartiers, en recueillant le jus dans un bol.

CONSEIL

Veillez, en mélangeant les fruits, à ne pas briser les quartiers de pamplemousse : le plat y perdrait de son charme.

3 Hachez finement le gingembre. Réservez 30 ml/2 c. à soupe de sirop. Mettez le gingembre, la pastèque, les quartiers et le jus de pamplemousses dans un saladier.

4 Versez le sirop de gingembre et remuez délicatement les fruits. Mettez à refroidir au réfrigérateur avant de servir.

Fruits frais au coulis de mangue

Les coulis de fruits devinrent très à la mode dans les années soixante-dix avec la nouvelle cuisine. Celui-ci, léger, savoureux et facile à préparer, agrémente de façon originale des salades de fruits classiques.

INGRÉDIENTS

Pour 6 personnes

1 grosse mangue mûre pelée, dénoyautée
    et hachée

sucre en poudre selon votre goût

zeste d'1 orange

jus de 3 oranges

2 pêches

2 nectarines

1 petite mangue pelée

2 prunes

1 poire ou ½ petit melon

25 à 50 g/1 à 2 oz de fraises des
    bois (facultatif)

25 à 50 g/1 à 2 oz de framboises

25 à 50 g/1 à 2 oz de myrtilles

jus d'1 citron

brins de menthe fraîche
    pour la décoration

1 Mixez la grosse mangue en une purée homogène. Ajoutez le sucre, le zeste et le jus d'oranges et mixez afin que le tout soit onctueux. Pressez dans un tamis au-dessus d'une jatte et mettez au réfrigérateur.

2 Débitez en rondelles les pêches, les nectarines, la petite mangue et les prunes, en retirant les noyaux. Coupez la poire en quartiers en l'évidant (ou épluchez et émincez le melon en tranches fines).

3 Disposez les tranches de fruits sur un plat, arrosez de jus de citron, recouvrez de film alimentaire et laissez au réfrigérateur 3 h avant de servir. (Certains fruits se décolorent s'ils sont coupés trop longtemps à l'avance.)

4 Dressez les tranches de fruits sur des assiettes. Ajoutez les fruits rouges sur le dessus, arrosez d'un peu de coulis de mangue et décorez de brins de menthe. Servez le reste du coulis séparément.

Salade de fruits tropicaux

INGRÉDIENTS

Pour 4 à 6 personnes

1 ananas

400 g/14 oz de demi-goyaves au sirop

2 bananes moyennes coupées en rondelles

1 grosse mangue pelée, dénoyautée
et coupée en rondelles

115 g/4 oz de tranches fines de gingembre
au sirop

60 ml/4 c. à soupe de lait de noix
de coco épais

10 ml/2 c. à thé de sucre en poudre

2,5 ml/¹⁄₂ c. à thé de muscade râpée

2,5 ml/¹⁄₂ c. à thé de cannelle en poudre

lamelles de noix de coco pour la décoration

1 Pelez, ôtez le cœur et taillez l'ananas en dés. Mettez-les dans un saladier. Égouttez les goyaves en réservant le sirop et coupez-les en morceaux. Ajoutez-les au saladier avec 1 banane et la mangue.

2 Hachez le gingembre et réservez 30 ml/2 c. à soupe du sirop. Incorporez le gingembre au mélange de fruits.

3 Versez dans un mixer les sirops de gingembre et de goyave réservés. Ajoutez la banane restante, le lait de noix de coco et le sucre. Mixez afin d'obtenir une purée onctueuse.

4 Nappez les fruits de cette purée, puis saupoudrez d'un peu de muscade râpée et d'1 pincée de cannelle. Servez cette salade fraîche, décorée de lamelles de noix de coco.

Salade de fruits exotiques

Vous pouvez varier la composition de cette salade en fonction des saisons, mais conservez l'ananas dont l'écorce forme une élégante coupe pour présenter ce dessert.

INGRÉDIENTS

Pour 4 personnes

1 mangue

2 bananes

8 lychees frais ou en conserve

225 g/8 oz/2 tasses de fraises

1 ananas moyen

300 ml/½ pinte/1¼ tasses d'eau

2 tranches fines de gingembre au sirop, coupées en bâtonnets, avec 30 ml/2 c. à soupe du sirop

75 g/3 oz/⅜ tasse de sucre en poudre

2 morceaux d'anis étoilé

1 clou de girofle

jus d'½ citron

2 brins de menthe fraîche

3 Taillez l'ananas en deux en son centre. Détachez la chair avec un couteau à dents et retirez-la afin d'obtenir 2 coques en forme de bateaux. Coupez la chair de l'ananas en gros morceaux et mettez dans le sirop refroidi.

4 Garnissez les moitiés d'ananas de salade de fruits et présentez à table, sur un plat ou une planche. Il restera sans doute assez de salade pour remplir de nouveau, le cas échéant, les moitiés d'ananas.

1 Dans une casserole, mettez le sucre, l'eau, 30 ml/2 c. à soupe de sirop de gingembre, les épices, le jus de citron et la menthe. Portez à ébullition et faites mijoter 3 min. Passez dans une jatte.

2 Pelez la mangue. Faites tenir la mangue sur l'une de ses extrémités et retirez la chair en 2 morceaux, en coupant de part et d'autre du noyau. Débitez en tranches régulières et ajoutez au sirop. Incorporez les bananes, les lychees, les fraises et le gingembre. Gardez au réfrigérateur jusqu'au repas.

Salade de melons, de pastèque et de fraises

Cette salade rafraîchissante et colorée peut être servie aussi bien en entrée qu'en dessert.

INGRÉDIENTS

Pour 4 personnes

1 melon de Cavaillon coupé en deux
1 melon vert coupé en deux
½ pastèque
225 g/8 oz/2 tasses de fraises
15 ml/1 c. à soupe de jus de citron
15 ml/1 c. à soupe de miel liquide
15 ml/1 c. à soupe de menthe
    fraîche hachée
1 brin de menthe fraîche pour
    la décoration (facultatif)

1 Ôtez les graines des melons et de la ½ pastèque. Utilisez une cuillère parisienne pour façonner des billes ou, à défaut, découpez la chair en dés avec un couteau et mettez-les dans un saladier.

2 Rincez et équeutez les fraises, coupez-les en deux et ajoutez-les dans le saladier.

CONSEIL

Utilisez les fruits disponibles : remplacez par exemple le melon de Cavaillon par du cantaloup, ou la pastèque par du melon des Charentes. Pour le plaisir de l'œil, essayez de choisir 3 melons de couleurs différentes.

3 Mélangez le jus de citron et le miel avec 15 ml/1 c. à soupe d'eau. Incorporez délicatement ce mélange aux fruits.

4 Saupoudrez les fruits de menthe hachée. Servez éventuellement décoré d'1 brin de menthe fraîche.

Salade de myrtilles et d'oranges à la lavande

Dans cette salade tonique, de délicates myrtilles sont servies avec des oranges et de minuscules meringues parfumées à la lavande.

INGRÉDIENTS

Pour 4 personnes

6 oranges

350 g/12 oz/3 tasses de myrtilles

8 brins de lavande fraîche
   pour la décoration

Pour les meringues

2 blancs d'œufs

115 g/4 oz/⅝ tasse de sucre en poudre

5 ml/1 c. à thé de fleurs de lavande fraîche

3 Pour préparer les oranges, retirez leur écorce à l'aide d'un couteau à dents. En vous plaçant au-dessus d'une jatte, détachez les quartiers d'oranges en coupant avec un couteau pointu entre la chair et les membranes.

4 Disposez les quartiers d'oranges en couronne sur quatre assiettes.

5 Placez les myrtilles et les meringues à la lavande au centre de chaque couronne. Décorez de brins de lavande et servez.

1 Faites chauffer le four à 140 °C/275 °F. Tapissez une plaque à four de papier sulfurisé. Pour les meringues, montez les blancs d'œufs en neige dans un saladier. Ajoutez le sucre, peu à peu, en fouettant vigoureusement. Incorporez les fleurs de lavande.

2 Avec une cuillère, introduisez la meringue à la lavande dans une poche à douille équipée d'un bec de 5 mm/¼ po. Déposez autant de boutons de meringue que possible sur la plaque. Faites cuire 1 h 30 à 2 h dans le bas du four.

Salade de figues, de pommes et de dattes

*Les figues et les dattes fraîches
de la Méditerranée, très sucrées,
se mélangent particulièrement
bien aux pommes et aux amandes,
qui aident à unifier les saveurs.*

INGRÉDIENTS

Pour 4 personnes

4 figues mûres vertes ou violettes

6 pommes

jus d'½ citron

175 g/6 oz/⅝ tasse de dattes fraîches

25 g/1 oz de pâte d'amandes blanche

5 ml/1 c. à thé d'eau de fleurs d'oranger

60 ml/4 c. à soupe de yaourt nature

4 amandes grillées pour la décoration

1 Évidez les pommes. Coupez-
les en fines rondelles, puis en
bâtonnets. Arrosez de jus de citron
pour les empêcher de s'oxyder.

2 Retirez les noyaux des dattes et
taillez la chair en fines lamelles,
puis mélangez avec les bâtonnets
de pommes dans une jatte.

3 Ramollissez la pâte d'amandes
avec l'eau de fleurs d'oranger
et mélangez au yaourt.

4 Répartissez les pommes et
les dattes au centre de quatre
assiettes. Enlevez la tige de chaque
figue et entaillez les fruits en croix,
en laissant les quartiers attachés
par la base. Pressez la base entre le
pouce et l'index de vos deux mains
afin d'ouvrir chaque figue.

5 Disposez 1 figue au centre de
chaque assiette. À l'aide d'une
cuillère, garnissez les figues du
mélange à base de yaourt et déco-
rez-les d'1 amande grillée.

Salade de mûres et granité à la rose

La mûre et la rose appartenant à la même famille, leurs saveurs se marient bien. Pour agrémenter cette salade, le sirop de rose, glacé sous forme de granité, est présenté sur des bâtonnets de meringue.

INGRÉDIENTS

Pour 4 personnes

450 g/1 lb/2⅔ tasses de mûres

1 rose rouge fraîche avec les pétales détachés

150 g/5 oz/⅔ tasse de sucre en poudre

5 ml/1 c. à thé d'eau de rose

10 ml/2 c. à thé de jus de citron

sucre glace pour saupoudrer

Pour la meringue

2 blancs d'œufs

115 g/4 oz/⅝ tasse de sucre en poudre

1 Pour le granité, portez 150 ml/ ¼ pinte/⅔ tasse d'eau à ébullition dans une casserole en acier inoxydable ou en émail. Ajoutez le sucre et les pétales de rose, puis faites mijoter 5 min.

2 Passez le sirop et versez-le dans un récipient en métal profond. Ajoutez 450 ml/¾ pint/1⅞ tasses d'eau, l'eau de rose et le jus de citron, et laissez refroidir. Mettez la préparation 3 h au congélateur, jusqu'à ce qu'elle soit solide.

3 Pendant ce temps, chauffez le four à 140 °C/275 °F. Garnissez une plaque de four de 6 pages de journal, puis recouvrez-les de papier sulfurisé.

4 Pour la meringue, montez les blancs d'œufs en neige dans une jatte. Incorporez le sucre en poudre, peu à peu, et fouettez jusqu'à ce que le mélange soit ferme.

CONSEIL

❧

Les mûres sont disponibles de la fin du printemps jusqu'à l'automne. Elles sont généralement grosses, tendres et juteuses. Les meilleures mûres sont légèrement amères avec un parfum très prononcé, et on les consomme le plus souvent saupoudrées de sucre.

5 Avec une cuillère, introduisez la meringue dans une poche à douille équipée d'un bec d'1 cm/ ½ po. Déposez autant de boutons de meringue que possible sur le papier sulfurisé. Faites cuire la meringue 1 h 30 à 2 h dans le bas du four.

6 Coupez délicatement la meringue en bâtonnets de 5 cm/2 po de long et disposez-en 3 ou 4 sur chaque assiette. Empilez les mûres à côté de la meringue.

7 Avec une cuillère à soupe, raclez délicatement le granité à la rose. Façonnez-le en formes ovales et déposez-les sur la meringue. Saupoudrez de sucre glace, décorez de pétales de rose et servez.

Framboises et mangue à la crème anglaise

Dans ce dessert très original, les framboises fraîches, légèrement acides, sont mises en valeur par une crème anglaise à la mangue juteuse.

INGRÉDIENTS

Pour 4 personnes

450 g/1 lb/2⅔ tasses de framboises

1 mangue

3 jaunes d'œufs

75 ml/5 c. à soupe de sucre en poudre

10 ml/2 c. à thé de farine

200 ml/7 oz/⅞ tasse de lait

8 brins de menthe fraîche
   pour la décoration

2 Mélangez les jaunes d'œufs, 30 ml/2 c. à soupe de sucre, la farine et 30 ml/2 c. à soupe de lait dans une jatte.

3 Passez une casserole sous l'eau froide pour empêcher le lait de faire de la peau. Faites bouillir le reste du lait dans la casserole, versez-le sur la préparation précédente et tournez.

4 Passez le mélange au tamis, puis remettez-le dans la casserole. Faites mijoter en remuant et laissez épaissir cette crème anglaise.

5 Transférez dans un mixer avec la mangue hachée et faites tourner jusqu'à obtenir une préparation homogène. Laissez refroidir.

6 Mettez 350 g/12 oz/2 tasses de framboises dans une casserole en acier inoxydable. Ajoutez le sucre restant, faites fondre à feu doux, puis laissez mijoter 4 min. Écrasez les fruits dans un tamis afin d'enlever les pépins. Laissez refroidir ce coulis.

7 Sur quatre assiettes, versez le coulis de framboises d'un côté et la crème anglaise à la mangue de l'autre. Coupez la mangue réservée en morceaux et disposez-les joliment sur le coulis. Déposez le reste des framboises sur la crème à la mangue. Décorez chaque assiette de 2 brins de menthe et servez.

1 Enlevez les 2 extrémités de la mangue. Pelez puis ôtez la chair, en coupant de part et d'autre du noyau. Gardez la moitié de la chair pour la décoration et hachez grossièrement le reste.

CONSEIL

Les mangues sont mûres si elles sont souples sous la pression des doigts, sans pour autant s'écraser. Certaines variétés restent vertes à maturité.

Salade d'ananas, de fraises et de lychees

Les saveurs exotiques de l'ananas et des lychees s'associent harmonieusement au goût prononcé des fraises fraîches.

Pour 4 personnes

2 petits ananas

450 g/1 lb/4 tasses de fraises

400 g/14 oz de lychees

45 ml/3 c. à soupe de kirsch ou
   de rhum blanc

30 ml/2 c. à soupe de sucre glace

1 Enlevez le sommet des ananas en les tordant. Réservez les feuilles pour la décoration.

2 Avec un couteau à dents, coupez les 2 ananas en deux dans le sens de la largeur.

3 À l'aide du même couteau, entaillez la chair des 2 ananas le long de l'écorce et retirez-la en laissant les coques intactes. Enlevez le cœur et taillez la chair en dés. Réservez les coques.

4 Équeutez les fraises et mélangez délicatement avec l'ananas et les lychees, en prenant garde de ne pas abîmer les fruits.

5 Mélangez le kirsch ou le rhum et le sucre glace, versez sur les fruits et laissez 45 min au réfrigérateur.

6 Répartissez la salade de fruits dans les coques d'ananas et décorez avec les feuilles réservées. Servez à température ambiante.

CONSEIL

Un ananas mûr résiste à la pression des doigts et son goût est très sucré. En hiver, si l'ananas gèle, la chair peut noircir.

Granité aux raisins muscats

La saveur et le parfum des raisins muscats sont exaltés dans cette salade raffinée, qu'il est conseillé de servir glacée. En raison de l'alcool qu'il contient, ce dessert ne convient pas à de jeunes enfants.

INGRÉDIENTS

Pour 4 personnes

½ **bouteille de muscadet,**
   de Beaumes-de-Venise,
   de Frontignan ou de Rivesaltes
450 g/1 lb **de raisins muscats**

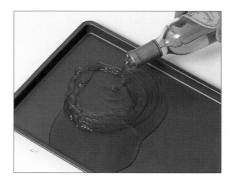

1 Versez le vin sur une plaque à pâtisserie en acier inoxydable ou en émail, ajoutez 150 ml/ ¼ pinte/⅔ tasse d'eau, puis laissez 3 h au congélateur jusqu'à ce que le vin soit complètement solidifié.

2 Épépinez les raisins avec la pointe d'un couteau. Si vous avez le temps, ôtez aussi leur peau. Avec une cuillère à soupe, raclez le vin gelé, de façon à obtenir une fine couche de glace. Mélangez la glace et les raisins. Répartissez dans quatre coupelles et servez.

Pamplemousses et oranges au Campari

Le Campari, sucré et légèrement amer, se marie parfaitement avec des agrumes tels le pamplemousse et l'orange.

Pour 4 personnes
4 pamplemousses
5 oranges
60 ml/4 c. à soupe de Campari
45 ml/3 c. à soupe de sucre en poudre
30 ml/2 c. à soupe de jus de citron
4 brins de menthe fraîche
   pour la décoration

1 Portez 150 ml/¼ pinte/ ⅔ tasse d'eau à ébullition dans une casserole. Mettez le sucre à fondre. Versez-le dans un bol, laissez refroidir, puis ajoutez le Campari et le jus de citron. Laissez au réfrigérateur jusqu'au repas.

2 Avec un couteau à dents, épluchez les pamplemousses et les oranges. Détachez les quartiers avec précaution au-dessus d'une jatte, en coupant les fines membranes qui enserrent la chair. Mélangez les fruits avec le sirop au Campari et mettez au réfrigérateur.

3 Répartissez les fruits sur quatre assiettes, décorez d'1 brin de menthe fraîche et servez.

CONSEIL

Lorsque vous achetez des agrumes, choisissez-les très colorés et lourds par rapport à leur taille.

Fraises au coulis de fruits

Les fraises sont ici complétées par un onctueux coulis de framboises et de fruit de la passion.

INGRÉDIENTS

Pour 4 personnes
675 g/1½ lb/6 tasses de petites fraises
350 g/12 oz/2 tasses de framboises fraîches
   ou surgelées et décongelées
1 fruit de la passion
45 ml/3 c. à soupe de sucre en poudre
8 langues-de-chat pour l'accompagnement

4 Passez le coulis de fruits ainsi obtenu dans un tamis, afin d'en retirer les graines.

5 Mélangez les fraises au coulis, puis répartissez dans quatre larges verres à pied. Servez avec des langues-de-chat.

1 Mettez les framboises et le sucre dans une casserole inoxydable et laissez dégorger à feu doux. Faites mijoter 5 min. Laissez refroidir.

2 Coupez le fruit de la passion en deux et, avec une cuillère, ôtez les graines et le jus.

3 Placez les framboises et le fruit de la passion dans un mixer, puis actionnez l'appareil jusqu'à ce que le mélange soit homogène.

Salade d'été

*Un melon glacé est une délicieuse
façon de terminer un repas.
Il est ici marié à de la pastèque
et à des fraises des bois. Si vous
ne pouvez vous procurer des
fraises des bois, remplacez-les par
des petites fraises ou des framboises.*

INGRÉDIENTS

Pour 4 personnes

1 cantaloup ou 1 melon des Charentes
1 melon de Cavaillon
900 g/2 lb de pastèque
175 g/6 oz/1½ tasses de fraises des bois
4 brins de menthe fraîche
   pour la décoration

1 Avec un couteau, coupez les melons en deux.

2 Retirez les graines des melons et de la pastèque.

3 À l'aide d'une cuillère parisienne, creusez autant de billes que possible dans les melons et la pastèque. Mélangez dans une jatte et mettez au réfrigérateur.

4 Ajoutez les fraises de bois, puis répartissez les fruits dans quatre coupelles à pied.

5 Décorez de brins de menthe fraîche et servez.

Brochettes de fruits, sauce à la mangue

Ces fruits présentés en brochettes sont accompagnés d'une sauce rafraîchissante à la mangue et au yaourt.

INGRÉDIENTS

Pour 4 personnes

½ ananas pelé, évidé et débité en dés

2 kiwis pelés et débités en dés

150 g/5 oz/⁷⁄₈ tasse de fraises nettoyées et coupées en deux dans la longueur (si elles sont grosses)

½ mangue pelée, dénoyautée et débitée en dés

Pour la sauce

120 ml/4 oz/½ tasse de purée de mangues fraîches faite avec 1 à 1½ mangues pelées et dénoyautées

120 ml/4 oz/½ tasse de yaourt nature épais

5 ml/1 c. à thé de sucre en poudre

quelques gouttes d'extrait de vanille

15 ml/1 c. à soupe de feuilles de menthe finement hachées

1 brin de menthe fraîche pour la décoration

1 Préparez d'abord la sauce. Mélangez la purée de mangues, le yaourt, le sucre et l'extrait de vanille dans un mixer.

2 Versez la sauce dans une jatte et incorporez les feuilles de menthe hachée. Couvrez et mettez au réfrigérateur.

3 Enfilez les fruits sur douze brochettes en bois en alternant des morceaux d'ananas, de kiwis, de fraises et de mangue.

4 Versez la sauce à la mangue et au yaourt dans un joli bol, décorez d'1 brin de menthe et placez au centre d'un plat. Disposez les brochettes autour et servez.

Fruits tropicaux au sirop à la cannelle

Préparez ces fruits la veille afin de permettre aux saveurs de bien se développer et de se mélanger.

INGRÉDIENTS

Pour 6 personnes

1 grosse papaye ou 2 moyennes (environ 675 g/1½ lb) pelée(s), dénoyautée(s) et débitée(s) en fines lamelles dans le sens de la longueur

1 grosse mangue ou 2 moyennes (environ 675 g/1½ lb) pelée(s), dénoyautée(s) et débitée(s) en fines lamelles dans le sens de la longueur

1 grosse carambole ou 2 moyennes (environ 225 g/8 oz) pelée(s), débitée(s) en tranches fines

1 bâton de cannelle

450 g/1 lb/2¼ tasses de sucre en poudre

1 Versez ⅓ du sucre dans une casserole. Ajoutez le bâton de cannelle ainsi que la moitié des tranches de papaye, de mangue et de carambole.

2 Saupoudrez ces morceaux de fruits du reste du sucre.

3 Couvrez la casserole et faites cuire les fruits à feu moyen pendant 35 à 45 min environ, jusqu'à ce que le sucre fonde complètement. Agitez de temps à autre la casserole, mais ne remuez pas les fruits, afin d'éviter qu'ils s'écrasent.

4 Ôtez le couvercle de la casserole et faites mijoter encore 10 min, jusqu'à ce que les fruits commencent à devenir translucides. Retirez la casserole du feu et laissez refroidir. Jetez le bâton de cannelle.

5 Mettez les fruits et le sirop dans une jatte, couvrez et laissez une nuit au réfrigérateur.

Bananes et mascarpone

Si vous aimez la crème anglaise froide à la banane, vous adorerez cette recette très nourrissante. C'est une version pour adultes d'un dessert généralement très prisé par les enfants. Pour gagner du temps, utilisez de la crème anglaise toute prête.

INGRÉDIENTS

Pour 4 à 6 personnes

4 bananes

250 g/9 oz/1^{1}/$_8$ tasses de mascarpone

300 ml/^{1}/$_2$ pinte/1^{1}/$_4$ tasses de crème
   anglaise toute prête

150 ml/^{1}/$_4$ pinte/^{2}/$_3$ tasse de yaourt velouté

jus d'1 citron vert

50 g/2 oz/^{1}/$_2$ tasse de noix de pécan
   grossièrement émiettées

120 ml/4 oz/^{1}/$_2$ tasse de sirop d'érable

1 Fouettez le mascarpone, la crème anglaise et le yaourt dans une jatte, jusqu'à ce que le tout soit homogène. Préparez éventuellement ce mélange à l'avance. Couvrez et mettez au réfrigérateur, puis remuez avant de servir.

2 Coupez les bananes en rondelles et mettez-les dans une autre jatte. Arrosez de jus de citron vert et mélangez afin que les bananes soient bien imprégnées de jus.

3 Répartissez la moitié de la crème au mascarpone dans quatre, cinq ou six coupelles et ajoutez, sur le dessus, 1 généreuse cuillerée du mélange de bananes.

4 Versez le reste de la crème au mascarpone dans les coupelles, puis placez les rondelles de bananes restantes. Parsemez de noix de pécan, nappez de sirop d'érable, puis laissez 30 min au réfrigérateur avant de servir.

Bananes au citron vert et à la cardamome

La cardamome et les bananes se marient parfaitement ensemble et ce dessert est à la fois raffiné, délicieux et original.

INGRÉDIENTS

Pour 4 personnes

6 petites bananes

zeste et jus de 2 citrons verts

4 graines de cardamome écrasées

50 g/2 oz/^{1}/$_4$ tasse de beurre

50 g/2 oz/^{1}/$_2$ tasse d'amandes effilées

50 g/2 oz/^{1}/$_3$ tasse de sucre roux

30 ml/2 c. à soupe de rhum brun

glace à la vanille pour l'accompagnement

1 Pelez les bananes et coupez-les en deux, dans la longueur. Faites fondre la moitié du beurre dans une poêle. Mettez des ^{1}/$_2$ bananes à cuire. Lorsque le dessous est doré, retournez-les à l'aide d'une spatule. Laissez dorer l'autre côté.

2 Mettez les ^{1}/$_2$ bananes au fur et à mesure dans le plat de service. Procédez ainsi pour toutes les bananes. Réservez.

3 Faites fondre le reste du beurre dans la poêle. Mettez les graines de cardamome et les amandes à dorer en remuant.

4 Incorporez le zeste et le jus des citrons verts, puis le sucre. Faites cuire en remuant jusqu'à ce que le mélange bouillonne et qu'il ait un peu réduit. Ajoutez le rhum. Versez la sauce sur les bananes et servez aussitôt avec de la glace à la vanille.

Salade de melons et de pastèque au gingembre

Les couleurs ensoleillées de deux variétés de melons et d'une pastèque contribuent à la beauté de cette salade, servie avec d'irrésistibles petits biscuits.

INGRÉDIENTS

Pour 4 personnes

½ melon d'hiver

½ melon des Charentes

¼ de pastèque

60 ml/4 c. à soupe de sirop de gingembre

Pour les biscuits

25 g/1 oz/2 c. à soupe de beurre

25 g/1 oz/2 c. à soupe de sucre en poudre

5 ml/1 c. à thé de miel liquide

25 g/1 oz/¼ tasse de farine

25 g/1 oz/¼ tasse d'un mélange de fruits confits de grande qualité, finement hachés

1 tranche fine de gingembre au sirop, égouttée et finement hachée

30 ml/2 c. à soupe d'amandes effilées

3 Recouvrez de papier sulfurisé une plaque de four. Disposez sur le papier, à intervalles réguliers, 4 cuillerées de la pâte, en laissant assez de place pour qu'elle puisse s'étaler. Aplatissez légèrement pour former des cercles et faites cuire 15 min au four jusqu'à ce que le dessus soit doré.

4 Laissez les biscuits 1 min sur la plaque, puis soulevez-les l'un après l'autre avec une spatule. Placez-les sur un rouleau à pâtisserie et laissez durcir. Procédez de même pour confectionner 4 autres biscuits.

5 Servez les morceaux de melons et de pastèque avec une partie du sirop et les biscuits au gingembre.

CONSEIL

Pour la présentation, façonnez des billes de melons et de pastèque avec l'extrémité la plus grande d'une cuillère parisienne.

1 Épépinez les melons et la pastèque, coupez-les en quartiers et ôtez la peau. Débitez leur chair en morceaux et mélangez dans une jatte. Versez le sirop de gingembre, couvrez et laissez au réfrigérateur jusqu'au repas.

2 Pendant ce temps, préparez les biscuits. Préchauffez le four à 180 °C/350 °F. Faites fondre le beurre, le sucre et le miel dans une casserole. Retirez du feu et ajoutez les autres ingrédients en tournant.

Fantaisie jamaïcaine aux fruits

Ce dessert d'inspiration jamaïcaine consiste en fruits agrémentés d'une onctueuse crème à la vanille.

INGRÉDIENTS

Pour 8 personnes

1 ananas d'environ 350 g/12 oz, pelé et évidé

3 papayes pelées, égrenées et débitées en dés

3 mangues pelées, dénoyautées et débitées en dés

300 ml/½ pinte/1¼ tasses de crème fraîche épaisse

200 ml/7 oz/⅞ tasse de crème liquide

60 ml/4 c. à soupe de sucre glace tamisé

10 ml/2 c. à thé d'extrait de vanille

30 ml/2 c. à soupe de rhum blanc ou de rhum à la noix de coco

zeste et jus d'1 citron vert

25 g/1 oz/⅓ tasse de poudre de noix de coco grillée

1 Coupez l'ananas en gros morceaux et hachez-les au mixer. Mettez la purée obtenue dans une passoire placée au-dessus d'une jatte et laissez égoutter 5 min, de façon à ce que le fruit exprime la majeure partie de son jus.

2 Montez légèrement la crème fraîche épaisse en neige, puis incorporez délicatement et progressivement la crème liquide, le sucre glace, l'extrait de vanille et le rhum.

3 Ajoutez au mélange de crème l'ananas haché et vidé de son jus. Mettez les dés de papayes et de mangues dans une jatte et arrosez-les du jus de citron vert. Mélangez délicatement. Incorporez le zeste de citron vert coupé en lamelles.

4 Répartissez le mélange de fruits et la crème à l'ananas dans huit assiettes à dessert. Décorez de noix de coco, de lamelles de zeste et, si vous le souhaitez, de quelques feuilles d'ananas. Servez aussitôt.

CONSEIL

Il est important de bien laisser la purée d'ananas s'égoutter pour que la crème soit onctueuse. Mélangez le jus recueilli à de l'eau minérale gazeuse, afin d'obtenir une délicieuse boisson rafraîchissante.

Gratin de fruits tropicaux

Ce gratin original est plutôt réservé aux adultes, en raison de l'alcool qu'il contient. Il est composé d'un mélange de fruits exotiques, agrémentés d'un simple sabayon rapidement passé sous le gril.

INGRÉDIENTS

Pour 4 personnes

¹/₂ ananas sucré

2 tamarillos

1 mangue mûre

175 g/6 oz/1¹/₂ tasses de mûres

120 ml/4 oz/¹/₂ tasse de vin blanc mousseux

115 g/4 oz/¹/₂ tasse de sucre en poudre

6 jaunes d'œufs

1 Enlevez l'écorce et le cœur de l'ananas, et faites des incisions en spirale pour ôter les yeux. Débitez la chair en morceaux.

2 Coupez chaque tamarillo en deux, dans la longueur, puis en tranches épaisses. Pelez la mangue, coupez-la en deux et détaillez la chair en tranches à partir du noyau.

3 Répartissez tous les fruits, y compris les mûres, dans quatre plats à gratin de 14 cm/5¹/₂ po, placés sur une plaque de four. Réservez.

4 Faites chauffer le vin et le sucre dans une casserole, jusqu'à ce que le sucre ait fondu. Portez à ébullition et laissez cuire 5 min.

5 Mettez les jaunes d'œufs dans une jatte supportant la chaleur. Placez la jatte au-dessus d'une casserole d'eau frémissante et fouettez les jaunes jusqu'à ce qu'ils pâlissent. Versez lentement le sirop de sucre chaud en battant constamment, afin que le mélange épaississe. Préchauffez le gril du four.

6 Répartissez le mélange sur les fruits à l'aide d'une cuillère. Placez la plaque supportant les plats sous le gril jusqu'à ce que le dessus soit doré. Servez ce gratin chaud.

Ananas grillé, sauce à la papaye

Le parfum puissant et acidulé de l'ananas grillé est ici rehaussé par une délicieuse sauce à la papaye.

INGRÉDIENTS

Pour 6 personnes

1 ananas sucré

beurre fondu pour graisser et enduire

2 tranches fines de gingembre au sirop égouttées, débitées en fins bâtonnets

30 ml/2 c. à soupe de sucre en poudre

1 pincée de cannelle

brins de menthe fraîche pour la décoration

Pour la sauce

1 papaye mûre pelée et égrenée

175 ml/6 oz/³/₄ tasse de jus de pommes

1 Pelez l'ananas et faites des incisions en spirale, à l'extérieur, afin d'ôter les yeux. Coupez-le dans la largeur en 6 tranches de 2,5 cm/1 po d'épaisseur. Tapissez une plaque de four avec du papier aluminium jusque sur les bords. Graissez avec du beurre fondu. Faites chauffer le gril du four.

2 Disposez les tranches d'ananas sur le papier aluminium. Enduisez de beurre et déposez dessus les bâtonnets de gingembre, le sucre et la cannelle. Arrosez de 2 cuillerées à soupe de sirop de gingembre. Faites griller 5 à 7 min afin que les tranches soient dorées sur le dessus.

3 Pendant ce temps, préparez la sauce. Réservez quelques tranches de papaye et mixez le reste avec le jus de pommes.

4 Tamisez la purée ainsi obtenue au-dessus d'une jatte puis, en tournant, ajoutez éventuellement le jus de cuisson de l'ananas. Disposez les tranches d'ananas dans chaque assiette et entourez-les de sauce. Décorez avec les tranches de papaye réservées et les brins de menthe.

Agrumes flambés

Les fruits flambés constituent toujours un dessert spectaculaire, d'autant plus qu'ils sont présentés ici avec un pralin de pistaches croustillant.

INGRÉDIENTS

Pour 4 personnes

4 oranges

2 pamplemousses roses

2 citrons verts

50 g/2 oz/¼ tasse de beurre

50 g/2 oz/⅓ tasse g de sucre en poudre
   à la muscade

45 ml/3 c. à soupe de Cointreau

brins de menthe fraîche
   pour la décoration

Pour le pralin de pistaches

huile pour enduire

115 g/4 oz/½ tasse de sucre en poudre

50 g/2 oz/½ tasse de pistaches

1 Préparez d'abord le pralin de pistaches. Enduisez légèrement d'huile une plaque de four. Mettez le sucre en poudre et les pistaches dans une casserole à fond épais, et faites cuire à petit feu, en tournant régulièrement jusqu'à ce que le sucre ait fondu.

2 Poursuivez la cuisson à feu moyen jusqu'à ce que les pistaches commencent à éclater et que le sucre caramélise. Versez sur la plaque huilée et laissez refroidir. Avec un bon couteau, coupez le pralin en morceaux.

3 Enlevez le zeste et la peau blanche des agrumes. En tenant chaque fruit au-dessus d'une jatte afin de recueillir son jus, détachez les quartiers des membranes.

4 Faites chauffer le beurre et le sucre dans une poêle à fond épais jusqu'à ce que le sucre ait fondu et que le mélange soit doré. Filtrez le jus des agrumes et versez-le dans la poêle. Poursuivez la cuisson en remuant de temps en temps jusqu'à ce que le jus ait réduit et devienne sirupeux.

5 Ajoutez les quartiers d'agrumes et faites bien chauffer sans tourner. Versez le Cointreau et flambez. Dès que les flammes s'éteignent, disposez les fruits flambés sur des assiettes creuses. Décorez chaque portion de pralin et de menthe.

Salade aigre-douce de fruits exotiques

Les fruits de la passion ont une saveur aigre-douce particulière. Ils permettent ici de réaliser une délicieuse sauce, qui rehausse le parfum des autres fruits exotiques.

INGRÉDIENTS

Pour 6 personnes

1 mangue

1 papaye

2 kiwis

glace à la noix de coco ou à la vanille
  pour l'accompagnement

Pour la sauce

3 fruits de la passion

zeste débité en lamelles et jus d'1 citron vert

5 ml/1 c. à thé d'huile de noisettes ou
  de noix

15 ml/1 c. à soupe de miel liquide

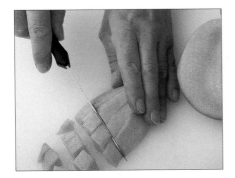

1 Pelez la mangue, coupez-la en 3 tranches dans la longueur, puis débitez la chair en morceaux que vous mettez dans une jatte. Épluchez la papaye et coupez-la en deux. Enlevez les graines, hachez la chair et ajoutez dans la jatte.

2 Retirez les 2 extrémités de chaque kiwi, puis posez-les debout sur une planche. Avec un couteau, partagez la chair de haut en bas et ouvrez chaque kiwi en deux, dans le sens de la longueur. Débitez en rondelles épaisses et mettez-les dans la jatte.

3 Pour la sauce, coupez chaque fruit de la passion en deux et recueillez les graines dans un tamis placé au-dessus d'une jatte. Pressez bien les graines pour en extraire le jus. Incorporez au fouet le reste des ingrédients de la sauce dans ce jus de fruits. Versez la sauce sur les fruits dans la jatte. Remuez délicatement. Laissez 1 h au réfrigérateur avant de servir avec de la glace à la noix de coco ou à la vanille.

CONSEIL

Le miel blond d'acacia
ou de fleurs d'oranger convient
parfaitement pour réaliser
cette sauce.

Index